MaryElena Bafunde

L'Amour avec un grand Z

www.casterman.com

Publié aux États-Unis par Delacorte Press Random House
sous le titre: *The Boyfriend List*
© E. Lockhart 2005 pour le texte.

ISBN 978-2-203-06245-0
L.10EJDN001089.N001

© Casterman 2006, sous le titre *Journal d'une allumeuse*
© Casterman 2013 pour la présente édition
Achevé d'imprimer en mars 2013, en Espagne. Dépôt légal: mai 2013; D. 2013/0053/267

Déposé au ministère de la Justice, Paris
(loi n° 49.956 du 16 juillet 1949 sur les publications destinées à la jeunesse

e. Lockhart

le journal de Ruby Oliver

L'amour avec un grand Z

Traduit de l'anglais par Antoine Pinchot

casterman POCHE

À mes chers camarades d'école,
qui sont restés aussi drôles et charmants qu'autrefois,
et n'ont jamais commis les horreurs
figurant dans ce livre.

Liste des garçons qui ont compté dans ma vie.
Par ordre chronologique.

1. **Adam** (mais ça ne compte pas)
2. **Sean** (mais ce n'était qu'une rumeur)
3. **Hutch** (mais je ferais mieux de ne pas y penser)
4. **Gideon** (mais il ne m'a jamais touchée)
5. **Ben** (mais il n'était même pas au courant)
6. **Tommy** (mais notre amour était impossible)
7. **Charlie** (mais tout était dans sa tête)
8. **Sam** (mais il avait quelqu'un d'autre)
9. **Michael** (mais c'était purement technique)
10. **Angelo** (mais c'était juste mon cavalier)
11. **Shiv** (mais c'était juste un baiser)
12. **Billy** (mais il ne m'a jamais rappelée)
13. **Jackson** (oui, d'accord, lui c'était mon petit copain, mais je préférerais qu'on parle d'autre chose)
14. **Noel** (mais c'était une rumeur de plus)
15. **Frank** (mais je suis encore indécise)

Avant qu'on ne me traite d'allumeuse, ou qu'on ne se mette à imaginer que je suis absolument irrésistible, je tiens à préciser que cette liste récapitule tous les garçons avec qui j'ai vécu le moindre petit début de quelque chose.

Des garçons que je n'ai jamais embrassés figurent sur cette liste.

Des garçons à qui *je n'ai même pas adressé la parole* figurent sur cette liste.

Le docteur Z m'a dit de n'écarter personne. Même pas les garçons que je considère sans importance.

Surtout pas ceux que je considère sans importance.

Le docteur Z, c'est ma psy. Elle dit qu'il n'est pas nécessaire qu'un garçon ait été un petit ami officiel pour figurer sur la liste. Officiel, non officiel, elle pense que ça n'a aucune importance. Il suffit que je me souvienne du garçon et d'un événement le concernant[1].

----

1. Sur ce point, je pense que le docteur Z se trompe. La nuance entre officiel et non officiel est *très* importante, car avoir un petit ami officiel bouleverse votre existence : la façon dont les gens vous considèrent au lycée, ce que vous ressentez chaque fois que le téléphone sonne, le choix de vos chewing-gums (goût menthol si vous avez un petit ami, car ☛

La liste était une sorte de devoir à faire à la maison destiné à améliorer ma santé mentale. Elle m'a demandé d'y inscrire le nom de tous mes petits amis, *espèces* de petits amis, *quasi* petits amis, *prétendus* petits amis et *éventuels* petits amis. En outre, elle m'a conseillé de me mettre au tricot[2].

Même si je la fréquente depuis presque quatre mois, je m'interroge toujours à son sujet. Ce que je veux dire, c'est que si je connaissais une fille de quinze ans qui passe ses journées à tricoter des pulls, je m'inquiéterais sérieusement pour son équilibre psychique.

----

vous êtes susceptible de l'embrasser à n'importe quel moment ; goût fraise dans le cas contraire), etc. Ceci nous amène à la question suivante : comment sait-on qu'un petit ami est officiel ? Peut-on se permettre de prononcer les mots « petit ami » en sa présence sans le traumatiser ? Doit-on soi-même le laisser employer cette expression, comme dans la phrase : « Je vous présente Ruby, ma petite amie » ? Doit-il d'abord avoir rencontré vos parents ou tenu votre main en public ?

Selon Melissa, un petit ami devient officiel quatre semaines après le premier baiser. Mais que se passe-t-il si une séparation temporaire intervient au cours de cette période ? Mon amie Cricket a rencontré ce problème lorsqu'elle sortait avec Tommy Parrish.

J'espérais en apprendre davantage pendant les cours d'éducation sexuelle. Hélas, lorsque j'ai enfin atteint l'âge d'y assister, j'ai réalisé qu'il n'était question que de biologie et de reproduction. Silence total sur ce qui se passe réellement entre un garçon et une fille. Rien sur ce qu'il faut dire lorsqu'un garçon ne vous rappelle pas alors qu'il avait promis de le faire. Rien sur l'attitude à adopter quand un garçon vous tripote les seins dans une salle de cinéma.

Je pense qu'il devrait exister une discipline scolaire abordant ces questions.

2. Bon, c'est vrai, elle n'a pas précisé « tricot ». Elle a dit « quelque chose de créatif », une sorte de passe-temps manuel. Mais je suis absolument sûre que c'est à ça qu'elle pensait.

Je sais que c'est bizarre d'avoir une psy à quinze ans. Avant que ça ne me tombe dessus, je pensais qu'ils étaient réservés aux lunatiques, aux désespérés et aux névrosés. *Lunatiques* : cinglés bons pour l'asile, personnes qui s'arrachent les cheveux et adorent crever les yeux des chevaux (enfin, ce genre de trucs). *Désespérés* : personnes qui ont besoin d'aide parce qu'il leur est arrivé un truc moche, comme attraper le cancer ou être abusé pendant leur enfance. Et enfin, *névrosés* : hommes d'âge moyen qui pensent à la mort vingt-quatre heures sur vingt-quatre et n'osent pas demander à leur mère de cesser de leur pourrir la vie.

Les névrosés sont nombreux parmi les parents de mes amies, mais la seule ado qui voit une psy dans mon entourage (et l'avoue) est Melissa Flack[3]. Elle le fréquente depuis l'âge de douze ans, mais elle préfère parler de sa « conseillère », comme s'il ne s'agissait

----

3. Melissa n'est pas exactement une amie, mais elle habite à deux blocs de chez moi. Comme elle a eu son permis de conduire en décembre, elle me dépose au lycée tous les matins. En fait, elle n'est l'amie de personne, à l'exception de son petit copain Bick, un élève de terminale. Franchement, Melissa est le genre de fille que les autres filles détestent. Quand Josh Ballard lui a baissé son pantalon, lors d'un cours de gym, en quatrième, (je sais, c'est puéril, mais vous avez quand même manqué quelque chose), elle portait un bas de maillot de bain rose. Sous le choc, elle a tourné trois fois sur elle-même, en le montrant bien à tout le monde, avant de remonter son pantalon. En plus, pendant un voyage scolaire au festival Shakespeare d'Ashland, Bick et elle se sont enfermés dans les toilettes de la station de bus et sont ressortis vingt minutes plus tard, écarlates et en nage. Pour conclure, elle dégage un sex-appeal extraordinaire, alors qu'elle porte généralement des vieilles chemises de flanelle, ce qui est tout de même très énervant.

pas d'une psychanalyste freudienne que sa mère paie 200 dollars de l'heure, mais d'une chouette copine de colo avec qui elle partageait un lit superposé.

Melissa suit une thérapie parce que son père est mort, ce qui en fait un personnage tragique de ce journal. Sa psy la fait s'allonger sur un canapé et lui demande de parler de ses rêves. Ensuite, elle lui explique que tous ses rêves ont un rapport avec le sexe, puis qu'ils concernent son père mort. Gulp.

Moi, je n'entre dans aucune de mes catégories. Je ne suis pas lunatique, même pas névrosée. J'ai commencé à voir le docteur Z parce je souffre de crises d'angoisse, c'est-à-dire que mon cœur s'emballe et que je ne peux plus respirer. Je n'en ai eu que cinq. Le docteur Z dit que c'est trop peu pour parler d'une véritable pathologie, mais ces cinq crises ont eu lieu en l'espace de dix jours.

Pendant ces dix jours :

· j'ai été abandonnée par mon petit ami (le garçon n° 13) ;

· j'ai été abandonnée par ma meilleure amie ;

· j'ai été abandonnée par toutes mes autres amies ;

· j'ai appris des détails affreux sur la vie sexuelle de mon ex-petit ami ;

· j'ai fait un truc choquant et audacieux avec le garçon n° 15 ;

· j'ai fait quelque chose de douteux avec le garçon n° 10 ;

· je me suis disputée avec le garçon numéro n° 14 ;

· j'ai bu ma première bière ;

- je me suis fait surprendre par ma mère ;
- j'ai perdu un match de lacrosse[4] ;
- j'ai échoué à un contrôle de maths ;
- j'ai fait de la peine à Melissa ;
- je suis devenue une lépreuse ;
- je suis devenue une célèbre allumeuse.

Largement de quoi avoir quelques crises d'angoisse[5], vous ne croyez pas ?

J'étais tellement accablée par l'ampleur de la débâcle[6] que j'ai dû manquer le lycée pendant une journée. Je l'ai passée à lire des romans fantastiques, à pleurer et à avaler des pastilles à la menthe.

Au début, je n'avais pas l'intention d'en parler à mes parents. J'essaie toujours de leur faire plaisir, de ramener des bonnes notes, de rentrer à la maison avant le couvre-feu et de ne pas les ennuyer avec mes problèmes. En fait, à chaque fois que je leur confie le moindre petit souci, c'est comme si je leur annonçais

---

4. Le lacrosse est un sport d'équipe plutôt brutal venu du Canada. Équipés d'un casque et de diverses protections, les joueurs doivent faire entrer une balle dans le but adverse à l'aide d'une perche équipée d'un filet. (NdT)

5. Au cas où vous ne seriez pas au courant, une crise d'angoisse est un accès d'anxiété extrême. Sa victime pense qu'elle ne peut plus respirer, le rythme de son cœur s'accélère, ce genre de trucs. Si une personne en a fréquemment, elle souffre probablement de *troubles anxieux généralisés*. Important : le docteur Z affirme que les problèmes respiratoires et cardiaques peuvent aussi constituer les symptômes de véritables problèmes physiques. S'il vous arrive quelque chose dans ce genre, consultez votre médecin.

6. L'un de mes mots préférés de tous les temps. *Débâcle* : écroulement soudain, total et risible.

qu'un tremblement de terre vient de se produire. Ils ne supportent pas de me voir malheureuse. Alors ils essaient de réparer les dégâts. Ils répareraient le monde entier s'ils le pouvaient, juste pour que je me sente mieux, même quand ça ne les regarde pas. C'est l'un des nombreux inconvénients d'être fille unique.

Donc, je ne leur ai pas signalé que ma vie était devenue un cauchemar absolu, et nous nous sommes retrouvés à table à l'heure du dîner. Ma mère s'est aussitôt lancée dans l'une de ses tirades passionnées à propos des élections municipales, du prochain vide-grenier ou d'un de ces sujets sans intérêt qui l'obsèdent complètement. Soudain, j'ai été prise de vertige et mon cœur a commencé à cogner dur dans ma poitrine. J'ai mis ma tête entre mes genoux, persuadée que j'allais y passer.

— Tu ne te sens pas bien ? a demandé mon père.

— Je ne sais pas.

— Tu as envie de vomir ? Si tu as envie de vomir, laisse-moi t'accompagner aux toilettes.

Je déteste la façon dont il dit « vomir ». Pourquoi ne dit-il pas « tu as la nausée » ou « tu as mal au cœur » ? Tout sauf vomir, vomir, vomir.

— Non merci, j'ai répondu.

— Alors tu es déprimée ? a-t-il insisté. Tu connais les symptômes de la dépression ?

— Papa, s'il te plaît.

— Est-ce que la vie te paraît triste et inutile ? Est-ce que tu penses au suicide ?

— Laisse-moi tranquille !

— Ce sont des questions importantes. Est-ce que tu as tout le temps envie de dormir ? Le week-end dernier, elle s'est levée à midi, Elaine.

— Est-ce que tu vas t'évanouir ? a continué ma mère. Je crois qu'elle va s'évanouir.

— Ce n'est pas un symptôme de la dépression, ça ? Il faudra que je regarde sur Internet.

— Est-ce que tu as mangé, aujourd'hui ? a poursuivi ma mère, comme si une ampoule venait de s'allumer au-dessus de sa tête. Tu t'inquiètes pour ton poids ?

— Je ne sais pas, ai-je répondu. Non.

— Est-ce que tu comptes les calories tout le temps ? Est-ce que tu penses que tu as des grosses cuisses ? Je t'ai vue boire du Coca light, l'autre jour. D'habitude, tu n'aimes pas ça.

— C'est tout ce qui restait dans le distributeur.

J'avais l'impression d'étouffer. C'était comme si un joueur de rugby faisait du trampoline sur ma poitrine[7].

— Les désordres alimentaires sont fréquents à ton âge.

— C'est pas ça. Mon cœur bat vraiment très vite.

Je gardais la tête entre mes jambes, sous la table.

— Tu peux tout nous dire, a dit ma mère, en penchant la tête pour voir mon visage. Nous sommes là. Tu sais, tu n'as pas besoin d'être mince pour être belle.

---

7. Gulp ! Dès que vous commencez à voir un psy, tout ce que vous dites a un je-ne-sais-quoi de douteux.

— Comment ça, ton cœur ? a demandé mon père en baissant la tête à son tour.

— La discrimination basée sur le poids est un enjeu féministe, a décrété ma mère.

— Ça ne peut pas être un problème de cœur, a dit mon père. Elle n'a que quinze ans.

— Fermez-la, vous deux ! ai-je crié.

— Ne me parle pas sur ce ton ! a braillé ma mère.

— Vous ne m'écoutez pas !

— Tu ne nous dis rien !

Sur ce point, elle n'avait pas complètement tort. J'ai vidé mon sac.

Elle s'est assise et a frappé du poing sur la table.

— Ça y est, je sais. Elle a la même chose que Greg. C'est une crise d'angoisse.

— Greg ne sort jamais de chez lui, a objecté mon père, qui s'était accroupi pour ramasser les restes de nourriture tombés sur le sol.

— Greg souffre de troubles d'anxiété généralisés. À chaque fois qu'il quitte son appartement, il perd complètement les pédales.

— Je ne suis pas comme Greg ! ai-je protesté en me redressant lentement et en essayant de reprendre ma respiration.

Greg est un ami de mon père. Il travaille à domicile. Il s'occupe d'un site web consacré au jardinage. Il ne va jamais *nulle part*. Pour le voir, il faut se rendre chez lui. Des piles de livres envahissent son appartement. Il possède quatre ordinateurs et neuf cents plantes qui obstruent ses fenêtres. Il est sympa, mais complètement timbré.

— Pour Greg, ça a commencé comme ça, Ruby, a dit ma mère. Une petite crise par-ci, une petite crise par-là. C'est la première fois que ça t'arrive ?

— J'en ai déjà eu quatre, ai-je admis, à la fois terrorisée et soulagée de pouvoir mettre un nom sur ce qui m'arrivait.

— Je vais passer quelques coups de fil, dit ma mère en emportant son assiette près du téléphone. Il faut que tu voies quelqu'un.

Inutile de discuter. Cette femme est incontrôlable quand elle a une idée en tête. Elle a appelé la mère de Melissa, Sally Flack, qui est médecin et vit à deux pas de chez nous. Elle lui a demandé de venir sur-le-champ pour examiner mon pouls et ma respiration. Le docteur Flack a interrompu son dîner et est arrivée au pas de course. Maman sait se montrer très persuasive.

La mère de Melissa m'a examinée dans la salle de bains et a affirmé que j'allais bien[8]. Ensuite, ma mère a passé deux heures au téléphone. Elle a décrit mes symptômes à toutes ses amies névrotiques, pour obtenir l'adresse d'un psy.

Le docteur Z nous a été recommandée par Juana, une copine de ma mère. Je pense que mes parents l'ont

---

8. Dieu merci, elle ne m'a pas demandé d'ôter mon soutien-gorge. Pas question de montrer mes seins à la mère de la fille qui m'emmenait au lycée tous les matins.

choisie parce que c'était la moins chère. Le docteur Z applique un barème. Elle ne demande à ses patients que ce qu'ils peuvent payer. J'ai des doutes concernant toute personne recommandée par Juana, qui est d'origine cubaine, écrit des pièces de théâtre, possède treize chiens et a divorcé quatre fois. Elle me fait l'effet d'une folle, mais ma mère dit que c'est juste une artiste qui se moque de l'avis des gens. Ce qui, pour elle, en fait forcément une personne digne d'intérêt.

Selon moi, posséder treize chiens nuit à l'équilibre psychique. Cinq me semble être une limite. En posséder davantage, c'est renoncer au droit de prétendre être parfaitement sain d'esprit.

Même s'il s'agit de petits chiens.

Ma mère m'a conduite au cabinet du docteur Z un jeudi après-midi. Nous sommes arrivées en avance, et elle m'a laissée conduire sur le parking, vu que je venais d'obtenir mon code et mon permis de conduite accompagnée. J'ai vite réalisé que c'était la pire des idées, le jour de mon premier rendez-vous chez le psy, au moment où toute ma vie tombait en ruine sans que je puisse en parler à ma meilleure amie, vu qu'elle constituait à elle seule la moitié du problème.

En effet, ma mère a tout fait pour me rendre folle. Si folle que la psy risquait de me faire interner d'office dans un asile de fous à la minute où elle me verrait. Je tournais en rond dans le parking à huit kilomètres heure, mais maman suffoquait de terreur, comme si elle était en train de regarder un film d'horreur.

— Ruby ! Le conducteur de devant freine !

— Han han.

— Tu l'as vu ? Là, regarde, il recule.

— Ouais, ouais.

— Eh bien, arrête-toi !

J'ai obéi.

— Ne freine pas si brutalement, Ruby.

— J'ai freiné de façon tout à fait normale.

— Non. J'ai été projetée en avant. Mais bon, ça va, tu apprends, après tout. Ce n'est qu'un entraînement. Oh !

Elle s'est remise à hurler tandis que j'entamais un nouveau tour de parking.

— Fais attention ! Un écureuil !

— Je me demande vraiment pourquoi je suis si anxieuse, ai-je dit.

— Quoi ? a éclaté ma mère. Tu me rends responsable de tes problèmes ? Ton père est bien plus anxieux que moi. Il pensait même que tu étais suicidaire. Attention au virage, là, tu tournes trop serré.

Le cabinet du docteur Z était situé dans un immeuble blanc, près d'un centre commercial. Il abritait une quantité de cardiologues, de dermatologues et d'autres « ogues » dont je n'avais jamais entendu parler. Les murs de son bureau étaient décorés de masques africains et le sol recouvert d'une épaisse moquette rouge. Le docteur Z, quant à elle, portait un poncho. Je ne plaisante pas : un grand poncho façon patchwork, réalisé au crochet, par-dessus une longue robe, et une paire de Birkenstocks. Ça, c'est tout Seattle[9]. Les

_____

9. Ville du nord-ouest des États-Unis. (NdT)

psychologues y portent des sandales de hippies. Elle était afro-américaine, ce qui m'a surprise. Je n'aurais pas dû, mais mon arbre généalogique ne comporte que des blancs-becs, aussi loin qu'on puisse remonter, et je dois avouer que j'imagine toujours les gens blancs tant que je n'ai pas constaté qu'ils ne le sont pas. Le docteur Z portait des lunettes trop grandes à monture rouge. Elle donnait l'impression de prendre son look poncho très au sérieux.

Ma mère a pris la parole.

— Bonjour, je suis Elaine Oliver, nous avons parlé au téléphone, bla bla Juana, bla bla bla.

— Oui, ravie de vous rencontrer, a dit le docteur Z. Bonjour, Ruby, bla bla.

Sur ces mots, ma mère s'est éclipsée pour traîner au centre commercial, me laissant seule avec la psy.

Le docteur Z m'a invitée à m'asseoir et m'a posé quelques questions sur mes crises d'angoisse.

Je lui ai répondu que j'avais eu une semaine difficile.

— Quel genre de semaine difficile ? a-t-elle demandé en avalant une Nicorette.

— Des problèmes. Mais rien de dramatique. Je ne suis pas complètement brisée, ou un truc comme ça.

— Quel genre de problèmes ?

— J'ai rompu avec mon copain.

— Oh.

— Je n'ai pas envie d'en parler.

— D'accord.

— Je viens juste de vous rencontrer.

— Je comprends. De quoi veux-tu parler ?

— Je ne sais pas, ai-je dit. De rien. Je vais bien.

Elle n'a rien ajouté.

Il y avait une boîte de Kleenex sur la table basse. Je trouvais ça gênant. C'était comme si elle pensait que j'allais me mettre à pleurer d'un instant à l'autre.

— Vous allez me poser des questions à propos de mes rêves ? ai-je demandé au bout d'une minute. C'est ce que font les psys, n'est-ce pas ?

Le docteur a rigolé.

— Bien sûr. On peut procéder comme ça. Tu as fait des rêves intéressants ?

— Non.

— D'accord, très bien.

Nous sommes restées silencieuses un moment.

— Parle-moi de ta famille.

Là, c'était facile. J'ai un discours tout fait à ce sujet. Je le déballe chaque fois qu'on me le demande, car mes parents sont différents de ceux des autres élèves de Tate, l'établissement que je fréquente depuis la maternelle. C'est une école pour gosses de riches, essentiellement, le genre à recevoir une BMW pour leur seizième anniversaire. Leurs pères sont chirurgiens esthétiques, magistrats, P.D.G. de grandes entreprises, directeurs de chaînes de magasins ou cadres chez Microsoft. Leurs mères sont avocates ou se consacrent à des activités bénévoles. Elles ont toutes des cheveux magnifiques. Tout ce petit monde vit dans des grandes villas avec terrasses, balcons et jacuzzis (les gens de Seattle adorent les jacuzzis). Ils passent leurs vacances en Europe.

En comparaison, mes parents sont de dangereux marginaux. Ils m'ont inscrite à Tate parce que, selon eux, « l'éducation est essentielle ». Nous habitons une maison flottante. Kim, Cricket et Nora la trouvent géniale mais, en vérité, y vivre est un enfer. Je n'y ai *aucune intimité*. Absolument aucune. La maison est minuscule et ne possède pas de véritables murs, juste des cloisons. Lorsque j'ai besoin d'être seule, je me retire dans ma chambre microscopique et je ferme la porte. Malgré cela, ma mère peut entendre toutes mes conversations téléphoniques. Le quartier des maisons flottantes est très éloigné des endroits sympas, et il ne passe qu'un bus par heure. Un autre problème, avec ces baraques, ce sont les bourdons. Mon père travaille à domicile. Il s'occupe d'un obscur site Internet consacré aux techniques de jardinage et à la vente en ligne de graines et de bulbes : *Le Paradis du jardinage pour les amoureux des fleurs rares*. Chaque centimètre du pont qui fait le tour de notre maison grouille de plantes : des variétés rares de pivoines, des roses miniatures, des lys, enfin, tout ce qu'il est possible d'imaginer. Si ça pousse et que ça peut survivre dans un pot de terre sur la côte nord-ouest des États-Unis, on en a en stock. Du coup, nous avons aussi des bourdons, tout au long de l'été, qui volent bruyamment autour de la porte d'entrée et se glissent par les fenêtres dès qu'ils en ont l'occasion.

Ma mère n'utiliserait jamais un piège à insectes. Selon elle, nous devons vivre en harmonie avec ces bestioles. Pour être honnête, aucun de nous n'a jamais été piqué. Maman est comédienne (et correctrice à domicile, à mi-temps, dans l'édition, pour payer les factures). Elle présente des one woman shows, de longs monologues sur sa vie, ses réflexions concernant la politique et les pièges à insectes. Sur scène, elle frise l'hystérie, hurle dans le micro et fait des bruitages bizarres.

Elle n'est plus autorisée à parler de moi au cours de ses spectacles. Plus depuis son sketch « Les premières règles de Ruby », un moment phare de son spectacle intitulé *Elaine Oliver : ça va faire mal !* Lors de sa première, j'ai découvert qu'elle avait fait de mes fluides corporels son sujet d'ouverture. J'étais alors assise avec Kim et Nora dans le public. Nous avions douze ans. Je suis morte sur le coup, foudroyée sur place. J'ai cessé de respirer, j'ai viré au bleu et j'ai entamé un rapide processus de rigidité cadavérique, au deuxième rang du théâtre.

Papa a eu une franche discussion avec maman, et elle a promis de ne plus jamais parler de moi sur scène.

J'ai parlé de ma famille un million de fois. C'est un bon moyen d'alimenter la conversation et d'avertir subtilement une nouvelle connaissance qu'elle ne trouvera chez moi ni BMW, ni télé à écran plat. Mais mon discours sonnait différemment dans le cabinet de la psychologue. Le docteur Z l'a ponctué de « han han » et « Oh, aha ». J'avais l'impression qu'elle s'apprêtait à noter tout un tas de trucs de psy dès les cinquante minutes de la séance achevées.

Des commentaires comme :

« Ruby Oliver, obsédée par les menstruations, sujet abordé dès le premier rendez-vous. »

« Ruby Oliver, victime d'une phobie des bourdons. »

« Manifeste une anxiété maladive à l'idée de posséder moins d'argent que ses amies. »

« A besoin de l'aide de son père pour empêcher sa mère de la couvrir de honte. »

« Premières règles, une expérience manifestement traumatisante. »

« Parle de jacuzzis et d'intimité. À l'évidence, obsédée sexuelle. »

Soudain, mon discours habituel m'a semblé étrangement révélateur.

J'ai décidé de la boucler.

Le docteur Z et moi sommes restées assises en silence pendant douze minutes. Je le sais, car j'ai regardé l'horloge. J'ai passé tout ce temps à me demander si quelqu'un avait tricoté son poncho, si elle l'avait confectionné elle-même, ou si elle l'avait acheté sur un marché d'artisanat local. Puis j'ai jeté un œil à mon jean taille basse et aux franges de ma chemise de bowling années cinquante, et je me suis demandé si elle jugeait ma tenue vestimentaire avec la même sévérité.

Finalement, le docteur Z a croisé les jambes et lâché :

— Pourquoi penses-tu que tu te trouves ici, Ruby ?

— Mes parents sont paranoïaques.

— Comment ça, paranoïaques ?

— Ils redoutent que je sois en train de devenir folle, anorexique ou dépressive. Ils pensent qu'une thérapie arrangera tout.

— Et toi, penses-tu que tu vas devenir anorexique ou dépressive ?

— Non.

Un silence.

— Alors, à ton avis, à quoi sont dues ces crises de panique ?

— Comme je vous l'ai dit, j'ai eu une mauvaise semaine.

— Et tu n'as pas envie d'en parler.

— Je suis encore en plein dedans, ai-je dit. Qui sait si Jackson et moi sommes réellement séparés ? Parce que, l'autre soir, il m'a embrassée, ou peut-être que c'est moi qui l'ai embrassé. Et il est venu à ma fête. Et il avait l'air super bouleversé par ce truc qui est arrivé.

— Ce truc ?

— Juste un truc. Trop compliqué à expliquer. En tout cas, je ne sais pas pourquoi Cricket et Nora ont cessé de me parler, mais c'est comme si nous n'étions plus amies, tout à coup. Et je me suis disputée avec Noel. Et je ne sais pas pourquoi Frank m'a demandé de sortir avec lui, ni pourquoi j'ai accepté. Je pense qu'il a une idée derrière la tête. Oh, et cet autre garçon, Angelo. Lui, il ne m'adressera sans doute plus jamais la parole. Mais en fait, peut-être que si. En gros, je ne comprends rien à ce qui se passe dans ma vie. C'est pour ça que je ne peux pas en parler.

Il était hors de question que j'attrape la boîte de Kleenex. Plutôt mourir. J'ai inspiré à fond pour ne pas pleurer.

— Ce n'est peut-être pas une mauvaise semaine, ai-je plaisanté. C'est peut-être un mauvais mois. Mais je ne peux pas l'expliquer, pour le moment. Non, là, tout de suite, je ne peux pas.

— Jackson est ton petit ami ? a demandé le docteur Z.

— Était. Il y a encore deux semaines. J'aimerais bien qu'on se remette ensemble.

— Et qui est Frank ?

— Juste un garçon. Frank Cabot. On sort ensemble demain soir.

— Et Angelo ?

— Juste un autre garçon.

— Noel ?

— C'est juste un copain.

— Ça fait beaucoup de « juste », a dit le docteur Z. Et beaucoup de garçons.

C'est alors qu'elle m'a fait promettre de rédiger la liste des garçons. Elle a ajouté que ça nous ferait un sujet de conversation pour la semaine suivante et que la séance était terminée.

1. Adam (mais ça ne compte pas)

Adam est le premier garçon que j'aie jamais remarqué. C'était à la maternelle. C'est parce que ses cheveux étaient trop longs. Il se les coinçait derrière ses oreilles et ils tombaient dans son cou. Les autres garçons de cinq ans portaient la coupe au bol. Je n'avais pas beaucoup de cheveux non plus. Ils ne poussaient pas très vite et ma mère n'arrêtait pas de les couper avec ses ciseaux à ongles. Bref, j'étais un peu obsédée par les cheveux.

Le nom de famille d'Adam était Cox. Après l'avoir observé pendant deux mois, j'ai donné son nom à mon lapin en peluche. Tous les adultes ont bien ri en l'apprenant[10], et je n'ai pas compris pourquoi[11].

Très vite, Adam et moi sommes devenus inséparables. Nos parents nous emmenaient au zoo, et on

---

10. En anglais, *Cox* se prononce comme *Cocks*, qui signifie *robinets* mais aussi, plus familièrement, *zizis*. (NdT)
11. Encore de quoi confirmer ma fixation sur le sexe aux yeux du docteur Z. « Ruby Oliver : donne à un lapin en peluche le nom d'organes reproducteurs masculins. Peut-elle cesser de penser à ça, ne serait-ce qu'une seconde ? »

passait du temps après l'école sur le terrain de jeu, à dessiner avec des craies ou à remonter le toboggan en sens inverse. Je me rappelle que nous sommes allés à la piscine de la YMCA[12] plusieurs fois, et qu'on pataugeait pendant des heures dans un bassin en plastique gonflable, dans son jardin. Quand sa chatte a eu des petits, je l'ai aidé à leur donner un nom, parce que je me trouvais chez lui le matin de leur naissance.

Et puis tout s'est arrêté.

Nous n'avions que cinq ans.

Quand j'ai eu l'âge d'aller à l'école primaire, mes parents m'ont inscrite à Tate et il a suivi sa scolarité dans un autre établissement.

Le docteur Z a regardé ma liste. Elle n'a pas eu l'air très impressionnée par mon histoire à propos d'Adam Cox. Ou peut-être était-ce la liste qu'elle ne trouvait pas terrible, alors que ça m'avait demandé beaucoup de travail. J'avais commencé à la rédiger le lendemain de notre premier rendez-vous, dans mon lit, en pyjama, sur un gros bloc courrier beige offert par ma grand-mère Suzette. Les mots *Ruby Denise Oliver* figuraient en lettres alambiquées sur la couverture. Je ne l'avais jamais utilisé, vu que tous les gens à qui j'écrivais possédaient des adresses e-mail.

Pour commencer, j'ai juste inscrit les noms de Jackson et de Frank. Puis j'ai ajouté Gideon en premier, avec un point d'interrogation. Et puis Michael,

---

12. Auberge de jeunesse aux États-Unis. (NdT)

le premier garçon que j'ai embrassé, entre Gideon et Jackson.

Enfin, j'ai éteint la lumière et j'ai essayé de m'endormir.

Pas moyen.

C'est vrai, j'ai toujours un peu de mal à m'endormir. Mais là, j'avais le sentiment que la liste n'était pas achevée. Je me suis souvenue que j'avais parlé d'Angelo au docteur Z, alors j'ai rallumé la lumière et j'ai gribouillé son nom entre Jackson et Frank.

Oh, et j'avais aussi parlé de Noel, même si ce n'était qu'un copain. Je l'ai calé après Jackson, parce qu'il n'y avait pas de place ailleurs. Puis j'ai recopié la liste au propre et je suis enfin parvenue à m'endormir. Mais en plein milieu de la nuit, je me suis réveillée pour rajouter deux garçons et mon prof d'histoire-géo.

Ensuite, je les ai barrés tous les trois.

Au petit déjeuner, j'ai abandonné soudainement mon bol de céréales pour y remettre l'un d'eux.

À mon arrivée au lycée, le couloir des boîtes aux lettres personnelles m'a fait l'effet d'un parcours d'obstacles parsemé d'anciens flashs et de vieux râteaux. Shiv Neel. Sean Murphy. Hutch (gulp). Je me suis pris leurs noms en plein visage. Pendant le premier cours, j'ai sorti la liste et je les y ai ajoutés.

Tout au long de la journée, j'ai pensé aux garçons. (Enfin, encore plus que d'habitude.) Et plus j'y pensais, plus des noms me revenaient.

Adam, la sirène.

Sam, le salaud.

Ben, le garçon brillant.

Tommy, le surfeur.

Charlie, qui m'avait offert le collier.

Billy, qui m'avait tripoté les seins.

Jamais je n'aurais cru que la liste serait si longue. À la fin de la journée, elle comportait quinze noms. Elle était toute gribouillée, avec des flèches un peu partout pour rétablir tant bien que mal l'ordre chronologique.

Comme elle était illisible, en géométrie, je l'ai recopiée sur une feuille, de ma plus belle écriture, et j'ai jeté l'ancienne[13]. Puis je l'ai glissée dans une enveloppe pour la remettre au docteur Z.

— Pourquoi as-tu cessé de jouer avec Adam ? a voulu savoir le docteur Z.

— Je vous l'ai déjà dit, je suis allée dans une autre école.

— C'est la seule raison ? a-t-elle demandé en m'épiant derrière ses lunettes rouges.

— Oui.

J'avais pris plaisir à rédiger la liste. C'était plutôt marrant. Mais bon. À quoi bon parler de trucs qui s'étaient passés dix ans plus tôt, et qui étaient relativement insignifiants ? Le récit de mes visites au zoo en compagnie d'Adam Cox et de sa mère ne me semblait pas essentiel au rétablissement de mon équilibre mental.

----

13. Une mauvaise idée, selon vous ? Jeter un tel document à la poubelle ? Bon, tout ce que je peux dire, c'est que vous êtes plus intelligents que moi. Ce n'est pas vraiment un compliment, vu que je suis à l'évidence complètement débile.

Je ne dis pas que j'avais envie de parler d'autre chose.

Je voulais juste faire cesser ces crises d'angoisse.

Et oublier cette sinistre sensation de vide dans ma poitrine.

Et espérer passer une journée sans fondre en larmes.

Et que Jackson revienne.

Et mes amies aussi.

— L'as-tu revu ?

— Qui ça ?

J'avais oublié de qui nous étions en train de parler.

— Adam, a dit le docteur Z.

Oui, j'avais revu Adam Cox à l'occasion d'une « rencontre interscolaire », deux ans plus tôt, alors que j'étais en quatrième. L'école Tate est un petit monde clos, comme les autres écoles privées de Seattle. Les conseillers d'orientation et les autres professionnels concernés par notre épanouissement personnel avaient décidé, je cite, « d'établir de nouvelles opportunités de relations sociales entre élèves, en dehors de l'esprit de compétition qui préside aux rencontres sportives ». Traduction : faisons la fête. Simplement, ils avaient rebaptisé cette fête « rencontre interscolaire ».

Le soir où j'ai revu Adam Cox, ma bande s'était retrouvée chez Cricket, où nous nous étions préparées en grignotant des crackers au fromage. Cricket : cool, blonde, vêtue de couleurs pastel ; une escroquerie, puisque c'est la fille la plus speed et sarcastique que je connaisse. Nora : chemise rouge qui lui donne un look un peu tragique ; rit de ses seins, bombe la poitrine et les secoue dans tous les sens ; étrangement gros pour son âge. Kim : d'origine japonaise, cheveux lisses et noirs presque à la taille, chemise de bohémienne et pas de maquillage. Et moi, Ruby : vient juste de découvrir les friperies ; jeans et lunettes à motif zèbre, pull bleu à perles, le tout acheté 7,89 dollars chez *Zelda's Closet*.

Sur mon aspect physique, je n'en dirai pas plus. Dans les romans, je déteste les descriptions interminables des attributs de l'héroïne : « *Elle avait des yeux bleus perçants et une poitrine d'un blanc laiteux, bla bla bla...* » ou « *Elle détestait ses cheveux frisés et ses hanches larges bla bla...* ». D'abord, c'est ennuyeux. Vous devriez pouvoir m'imaginer sans connaître les détails pénibles, comme ceux concernant ma coupe de cheveux et la taille de mes cuisses. Et puis, dans les livres, le truc qui m'énerve le plus, c'est qu'il n'existe qu'une alternative : perfection ou haine de soi. Comme si les lecteurs ne pouvaient s'attacher qu'à un personnage idéal ou complètement brisé. C'est lourd. Je pense que les gens sont plus intelligents que ça[14].

----

14. Bon, d'accord. Je sais que vous mourez d'envie d'avoir une description, et il ne sera pas dit que j'ai frustré mes lecteurs. Ci-dessous, les cinq qualités géniales de Ruby Oliver, ainsi que les cinq défauts qui, à juste titre, lui pourrissent la vie.
• Pas de boutons/seins qui s'effondrent déjà au-delà du raisonnable et sont condamnés à pendouiller à court ou moyen terme.
• Bonne tonicité musculaire due à la pratique de la natation et du lacrosse/ oreilles ayant tendance à déborder de cérumen.
• Longs cils noirs/mauvaise vue et intolérance aux lentilles de contact, donc cils constamment masqués par des lunettes, les rendant parfaitement inutiles. ☛

Bref, nous étions toutes quatre réunies : Kim, Ruby, Cricket et Nora. Nous ne sommes pas — et nous n'avons jamais été — des stars du lycée. Nous laissons ça à Katarina, Arielle et Heidi, ces filles que mon prof d'histoire-géo[15] appelle la « classe dirigeante[16] » de Tate[17]. Nous ne végétions pas non plus dans l'anonymat, comme ces élèves qui n'assistent pas aux fêtes, ne participent pas aux spectacles et ne s'assoient pas sur l'herbe les jours de soleil. On dirait qu'ils se contentent de rendre leur boulot, de faire un peu de sport et de participer aux comités de planning. Aucune rumeur ne circule à leur sujet.

Nous, nous étions des personnalités du lycée — pas *vraiment* des célébrités — mais tous les élèves connaissaient nos noms.

• Corps raisonnablement imberbe/ventre légèrement proéminent ayant une propension à gonfler de façon embarrassante après un repas un peu trop copieux.
• Jolies dents du bonheur/tendance à transpirer dans les situations tendues.
C'est bon, vous vous faites une idée, maintenant ?
15. Mr James Wallace. Je suis dingue de lui. Il vient d'Afrique du Sud, il a un accent sauvage et s'agite beaucoup quand il parle. Beaucoup trop vieux pour moi.
16. Extrêmement sexy en maillot de bain. C'est aussi notre entraîneur de natation.
17. Je sais que vous pensez qu'il devrait être sur la liste. Toutes mes histoires de cœur devraient y figurer. Mais je l'ai volontairement écarté. C'est tellement stupide de flasher sur son prof d'histoire-géo. Totalement et définitivement sans espoir. En plus, je suis sûre que si j'en avais parlé au docteur Z, elle aurait pensé que j'étais une allumeuse professionnelle branchée sur les profs, comme dans la chanson de Police, *Don't Stand So Close To Me*. Mais elle aurait eu tort. Je sais que Mr Wallace ne s'intéressera jamais à moi. D'ailleurs, si c'était le cas, ce serait ignoble de sa part. Il doit avoir dans les vingt-neuf ans. Et il est marié.

Nous avons commencé à former une bande à notre entrée en quatrième. J'étais copine avec Kim depuis la maternelle, à l'époque où les autres élèves se moquaient du contenu de son sac déjeuner (gâteau aux haricots rouges et tofu). Moi, je l'échangeais souvent avec le mien parce que je détestais le beurre de cacahuète que ma mère s'obstinait à tartiner un peu partout. Depuis, nous sommes toujours restées proches. Nora s'est jointe à nous deux années plus tard. Nora : ricaneuse, toujours plongée dans ses livres, grande et un peu voûtée ; une cave immense pleine de fringues à la mode, et un vieil Instamatic. Enfin, Cricket, langue de vipère et grande gueule, arrivée à la rentrée de quatrième. Au début de cette année-là, nous nous sommes retrouvées sur la banquette arrière d'un bus qui nous emmenait pour une sortie au muséum d'histoire naturelle. On a fait les folles, on a ri, on a mis nos pieds sur les sièges de devant, on a lu l'avenir dans des bouts de papiers pliés (où nous avions au préalable rédigé les prédictions les plus révoltantes), jusqu'à ce qu'un prof nous hurle dessus, ce qui a fait redoubler nos gloussements.

Cricket est devenue notre leader. Kim et moi, on était toujours meilleures amies. On continuait à dormir souvent chez l'une ou chez l'autre et à bavarder au téléphone chaque soir pendant des heures, mais on s'est mises à passer de plus en plus de temps chez Cricket. Elle habitait une villa luxueuse, encore plus grande que celle de Kim, et plus déco que celle de Nora. Elle comportait six chambres, une piscine, un sauna, un jacuzzi et deux frigos. Dans sa chambre, Cricket avait sa propre chaîne hi-fi et sa propre télé. Sa mère travaillait tard, et sa sœur aînée, Starling, possédait une voiture. Depuis la quatrième, cette dernière nous ramenait du collège. Nous, on regardait la télé et on marinait dans le jacuzzi jusqu'à ce que nos parents viennent nous chercher pour le dîner.

Chez Cricket, on a fait un tas de trucs prohibés. Nora préparait des fournées de cookies au chocolat et nous n'en laissions pas une miette ; on se faisait des séances de sauna nénés à l'air ; on copiait nos devoirs les unes sur les autres ; on regardait des DVD interdits aux moins de seize ans piochés dans la vidéothèque de sa mère ; sous de fausses identités, on discutait sur MSN avec des garçons qu'on trouvait sexy.

En fait, pour être franche, on continue à faire tout ça.

Enfin, on a continué, jusqu'à ce que mes trois amies décident de ne plus m'adresser la parole.

Le soir où j'ai revu Adam Cox, j'étais surexcitée. Comme mes copines, d'ailleurs. Seulement voilà, ce soir-là, j'ai appris une vérité fondamentale : les fêtes, il vaut mieux les imaginer et s'y préparer qu'y participer. La « rencontre » avait été organisée dans un gymnase obscur, où des tas de gens que je ne connaissais pas erraient sans but sur un vague fond musical. C'est tout. Nora et Cricket se sont éloignées pour danser ensemble – un tas de filles faisaient pareil –, mais les garçons restaient sur les côtés, à s'arroser avec du punch jusqu'à ce qu'un prof vienne les interrompre.

Kim et moi passions le temps en sélectionnant les garçons de Tate par qui nous aimerions être invitées à danser. Shiv Neel. Billy Krespin. Kyle Greco.

— Tu vois le type avec la chemise bleue ? a demandé Kim.

Nous étions plantées dans un coin, sans esquisser un pas de danse, depuis une éternité.

— Ouais.

— Il te matait à l'instant.

— Non, tu délires.

— Si, si, je te jure.

— Celui-là ?

J'ai observé le garçon qu'elle me désignait. Il n'était pas du lycée. Il avait des sourcils noirs et des cheveux hirsutes.

— Attends, mais je le connais !

Kim écarquilla les yeux.

— Tu rigoles ?

— Je te promets. De quand j'étais petite.

— Il est super mignon.

Notre discussion a continué sur ce thème pendant dix minutes. Nous avons déterminé précisément à quel point il était mignon, qui était plus mignon que lui, quel était son âge, à quel acteur de cinéma il ressemblait. Bref, le genre de discussion passionnante avec sa meilleure amie, et mortellement ennuyeuse lorsqu'elle figure dans un livre. Finalement, Kim a voulu que je le lui présente. Aussitôt, j'ai constaté que mes mains étaient moites et mes vêtements m'ont paru ridicules. Malgré tout, je me suis dirigée vers le coin où Adam faisait l'imbécile avec ses copains, Kim pendue à mes basques.

— Tu es Adam Cox ?

— Peut-être, ça dépend.

— Ça dépend de quoi ?

— De ce que tu veux savoir.

— Je suis Ruby Oliver. On jouait ensemble quand on était petits.

— On jouait ensemble ?

Un de ses copains a commencé à ricaner comme s'il s'agissait d'une allusion salace.

— Elle dit qu'Adam jouait avec elle ! Eh, Adam, tu t'es bien amusé ?

— Tu ne te rappelles pas ?

— Je ne crois pas, a dit Adam en haussant les épaules.

— Et la sirène ?

(On jouait souvent à la sirène.)

— Je ne vois pas de quoi tu parles.

— Dans la piscine gonflable, ai-je précisé, pour lui remettre le truc en mémoire.

— Je vois pas.

— Et quand ta chatte a eu des petits et que je t'ai aidé à leur trouver un nom ?

— Ouais, ouais, c'est ça, miaou, a-t-il répondu sur un ton sarcastique.

Ses copains se sont mis à glousser.

— C'est qui cette fille ? a demandé l'un d'eux. C'est quoi cette histoire de chatte ?

J'ai pris ma respiration.

— Voici mon amie Kim. Nous sommes de Tate.

Adam nous a tourné le dos.

— Je ne sais pas ce qu'elle me veut, la binoclarde, a-t-il dit à ses amis.

Mes joues se sont mises à chauffer.

— Viens, Kim, ai-je dit en la tirant par la main. On s'en va.

Kim a une qualité. Une immense qualité tant qu'elle ne se retourne pas contre vous. Elle est calme, elle ne fait pas de remous, mais si on la cherche vraiment, elle sort de ses gonds. C'est comme si elle passait son temps à se montrer irréprochable, à être fidèle à ses idéaux, à collectionner les bonnes notes et à se montrer compréhensive. Seulement, lorsque quelqu'un ne remplit pas ses critères, ça tourne au massacre. Elle est rentrée dans le lard d'Adam Cox, là, au beau milieu du gymnase. Elle s'est précipitée dans sa direction, a collé son menton dans sa poitrine (il était beaucoup plus grand qu'elle), a levé les yeux vers lui et l'a traité de sous-homme, d'invertébré et de foutue sirène de ses deux.

— Eh, lâche-moi ! s'est exclamé Adam en jetant un regard implorant à ses copains.

Ces derniers avaient l'air trop surpris pour réagir.

Kim l'a encore qualifié de poupée Barbie, et ses copains ont commencé à se marrer.

Elle a poursuivi en lui précisant à quel point il était laid et combien son cerveau creux exhalait des relents d'urinoir. Adam a levé la main pour la frapper lorsqu'un prof costaud portant une épaisse barbe noire s'est interposé.

— On se calme, les garçons, a-t-il dit. Laissez-les tranquilles.

Adam a reculé mais il a adressé un doigt d'honneur à Kim pendant que le prof regardait ailleurs.

Un jour, Kim et moi avons lu un truc concernant le comportement amoureux, comme quoi il fallait nous comporter en *ladies* si nous voulions que les garçons se comportent en *gentlemen*. C'est complètement crétin, vu que nous n'avons jamais voulu que les garçons se comportent en *gentlemen*. Tout ce que nous voulons, c'est qu'ils nous trouvent jolies, qu'ils nous invitent à danser, qu'ils nous tiennent la main puis, éventuellement, qu'ils nous embrassent dans un coin et nous envoient des SMS vaguement ambigus.

Oui, voilà ce que nous attendons, même de la part de garçons aussi bêtes et méchants qu'Adam Cox et ses copains.

Je sais que j'aurais dû être reconnaissante envers Kim de m'avoir défendue, mais j'étais embarrassée. J'avais espéré que nous étions le genre de filles avec qui ces garçons auraient été instinctivement sympas. On était aussi mignonnes qu'Heidi et Katarina qui, elles, dansaient avec des élèves de troisième de l'école de garçons Sullivan. Mes lunettes n'étaient pas pires que les points noirs qu'Heidi avait sur le nez ou que l'appareil dentaire de Katarina. Mais, pour une raison inconnue, on ne boxait pas dans la même catégorie. Il me semblait que tout ça ne changerait jamais. Et pourtant, je me trompais.

La désastreuse affaire Adam a eu un aspect positif. Kim et moi avons commencé la rédaction de notre guide, ouvrage dans lequel nous avons consigné toutes les informations recueillies sur les relations filles-garçons. Nous avons décoré un cahier avec du papier argenté et décidé que son contenu serait accessible à toute fille méritante (c'est-à-dire, à nos yeux, Cricket et Nora) désireuse d'attirer les représentants du sexe opposé et de savoir, à la fin, ce qu'ils peuvent bien avoir dans la tête. Nous l'avons appelé *Le Grand Livre des garçons : de leurs habitudes, de leur comportement et des techniques à mettre en œuvre pour les apprivoiser (une production Kim-Ruby)*, comme s'il s'agissait d'un livre zoologique sur les lézards, ou un truc dans ce genre.

Et c'est à peu près ce que c'était.

La toute première chose que nous y avons écrite, c'est : « Si tu essaies de parler à un garçon en présence de ses copains, ne prononce aucun mot trop féminin. Comme *sirène*. Ou *chaton*. Si tu ne respectes pas ce principe, il est possible qu'il se transforme en un parfait salaud et cause de graves dommages à ton amour-propre. »

Puis, plus tard, lorsque notre connaissance de la psychologie masculine s'est améliorée (je suppose qu'elle est encore dérisoire mais, depuis, nous avons lu plein de livres et regardé longuement la télévision), nous avons ajouté, petit à petit, au gré de nos mésaventures : « Outre les mots *sirène* et *chaton*, le garçon moyen est susceptible de flipper à la simple mention des sujets suivants : la poésie ; les couchers de soleil ; les films dont les personnages s'embrassent ; les mots qu'il t'a adressés ; les SMS, aussi ; les e-mails, également ; ses actes passés suggérant qu'il éprouve le moindre sentiment (comme se mettre à pleurer ou dire qu'il t'aime bien) ; les surnoms affectueux comme « chou-chou » ou « minou » que vous vous êtes échangés (si vous êtes sortis ensemble) ; les coupes de cheveux ; les poupées ; la cuisine (s'il lui arrive de cuisiner) ; le chant (s'il lui arrive de chanter) ; la faiblesse, sous toutes ses formes. »

Rapidement, la première page du *Grand Livre des garçons* est devenue si surchargée de notes accumulées en deux ans et de sous-notes en pattes de mouche ajoutées entre les lignes, que nous avons dû scotcher une page supplémentaire pour consigner nos nouvelles informations. Sur cette page, nous avons ajouté ceci, au début de l'année de seconde : « Les douleurs mens-truelles ; la raison pour laquelle il n'a pas appelé ; ce qu'il fait samedi soir ; les sentiments de tous ordres, quels qu'ils soient. » Et plus bas, de l'écriture minus-cule et presque illisible de Cricket, l'une de ses rares contributions à cette œuvre scientifique fondamentale : « Lorsqu'il se déplace en meute, le garçon, comme notre sérieuse documentation le prouve, est l'un des plus grands inhibiteurs de conversation connus par le genre féminin. On ne peut aborder aucun sujet ! Lorsqu'ils sont avec leurs amis, ce sont de parfaits crétins ! Ce phénomène laisse les plus grands scien-tifiques perplexes. »

Lorsque je suis rentrée de la fête, j'ai raconté ma mésaventure à mes parents. Je leur disais tout, à l'époque. Mon père m'a aussitôt demandé comment, selon moi, *Adam* s'était senti au cours de l'incident.

— Bien, ai-je répondu. Il se sentait parfaitement bien.

— Ne penses-tu pas que c'est la timidité qui l'a fait agir comme ça ?

— Non.

— Parfois, les gens se comportent avec méchanceté parce qu'ils n'ont pas confiance en eux.

— Non, là, il ne nous aime pas, c'est tout.

Ma mère nous a interrompus.

— Écrase-le de ton mépris ! a-t-elle hurlé. C'est un gros nul, ma chérie. N'y pense plus.

— Ce n'est pas un gros nul, a objecté mon père. C'est un copain de Ruby.

— Non, ce n'est pas un copain, ai-je dit.

— Bon, disons un ancien copain. Je suis sûr qu'il n'a pas agi comme ça sans raison. Ce pauvre garçon doit avoir des problèmes.

— Kevin, ce gosse est un tyran. Il traitait déjà Ruby comme une esclave à la maternelle. En grandissant, il s'est transformé en monstre. Laisse-la exprimer sa colère.

— Je ne suis pas en colère, ai-je protesté.

— Je pense qu'il est important de pardonner, a dit mon père. Je veux que Ruby comprenne que les gens agissent ainsi à cause de leur propre souffrance.

— Je vais appeler sa mère, a tempêté maman. Les enfants ne doivent pas agir ainsi. Personne n'a le droit de traiter Ruby de cette façon.

— Non, ne fais pas ça ! ai-je hurlé en l'attrapant par le bras. Par pitié !

— Et pourquoi pas ? Susan Marrowby-Cox devrait savoir que son fils est une ordure.

— Elaine, arrête de coller des étiquettes sur les gens. Tu veux vraiment que Ruby s'abandonne à sa rage ? Nous devons lui apprendre à pardonner.

— Houhou, papa, je suis là !

— Si je ne m'abandonnais à ma colère, a dit ma mère, je perdrais toute créativité. C'est ça que mon public vient voir. C'est productif. C'est cathartique. *Elaine Oliver ! Ça va faire mal !*

— Allons, a soupiré mon père. Tu sais très bien que tu as un problème avec le pardon. Essaye au moins de ne pas contaminer ta fille.

— Ne ramène pas tout à mes problèmes. Ce n'est pas le sujet.

— Si, c'est exactement le sujet.

— Je crois que c'est *toi* qui as un problème, a grincé ma mère.

— J'ai quoi ? a demandé mon père.

Là-dessus, la discussion est partie en vrille, et ils se sont disputés tout le reste de la soirée. Moi, je me suis enfermée dans ma chambre et j'ai collé mes écouteurs sur mes oreilles pour ne pas les entendre brailler à travers la cloison fine comme du papier à cigarette.

Je ne voulais pas parler de ma rencontre avec Adam Cox au docteur Z, mais elle a réussi à me tirer les vers du nez sans dire un mot. Je m'ennuyais tellement que je lui ai raconté toute l'histoire. Et puis j'ai regretté.

Parce que ma mésaventure avec Adam n'était en vérité qu'un épisode de ma relation avec Kim. On y retrouvait tout. Notre amitié. Ses colères. Sa rancune contre moi, aujourd'hui.

Je ne voulais pas non plus parler du garçon n° 2, vu qu'aborder l'affaire Sean Murphy exigeait *également* que je parle de Kim.

Zut. C'était comme si elle était partout.

2. Sean (mais ce n'était qu'une rumeur)

— Très bien, a dit le docteur Z. Passons au n° 2.

J'ai fait semblant de ne plus me souvenir de qui il s'agissait, et j'ai jeté un œil à la liste.

— Oh, Sean.

J'ai marqué une pause.

— Pourquoi est-ce qu'on fait ça ?

Le docteur Z a haussé les épaules.

— C'est une façon comme une autre de parler de ta vie. C'est un sujet qui semble important pour toi. Que peux-tu me dire au sujet de Sean ?

— Vous n'êtes pas censée me poser des questions sur ce que je ressens ? ai-je répliqué. Vous ne faites qu'essayer de me tirer les vers du nez à propos de mes petits amis.

— D'accord.

Elle a décroisé les jambes et s'est penchée en avant.

— Alors, qu'est-ce que tu ressens ?

— Mes petits amis officiels sont tout à la fin de la liste. Là, ce sont des « presque ». Des types sur qui j'ai flashé, avec qui je suis presque sortie, ou qui m'aimaient peut-être un peu, ou que j'ai embrassés une fois.

— Han han.

— Mon seul vrai petit ami, c'est Jackson.

— Jackson.

— Ouais. Mais je n'ai pas envie d'en parler.

Pas question d'évoquer ce sujet. Il avait été mon petit ami pendant six mois, soit une grande partie de l'année de seconde. Mon Jackson, à la voix rocailleuse, si drôle, si détendu, qui se gavait de mayonnaise, qui était toujours disponible, qui embrassait comme un dieu. Qui s'était endormi la tête sur mon épaule. Nous avions sillonné la ville pendant des heures à bord de sa vieille bagnole cabossée, sans jamais nous trouver à court de conversation. Il m'avait dit qu'il ne s'était jamais senti aussi bien avec une autre fille.

C'est mon ex depuis seize semaines. Nous nous sommes même embrassés après notre séparation. Si j'avais tout dit au docteur Z à propos de ce baiser, de la réaction de Kim, de la débâcle du bal de printemps, et de cette stupide liste de garçons qui avait rendu les choses encore plus difficiles, elle aurait sans doute eu une très mauvaise opinion de moi.

— Très bien, a dit le docteur Z. Donc, tu veux que je te demande ce que tu ressens.

— En tout cas, ce serait plus constructif que de parler de cette bande de garçons que je connais à peine, ai-je dit sèchement.

— Très bien. Alors, comment te sens-tu ?

Le docteur Z semblait sur le point d'éclater de rire.

— Je m'ennuie.

Elle n'a rien répondu.

— Là, en ce moment. J'ai l'impression de perdre mon temps, ai-je ajouté.

Silence.

Pas question de continuer à parler toute seule. J'ai regardé mes ongles puis j'ai tiré sur un fil de mon jean.

— Tu le penses vraiment ?

— Quoi ?

— Que tu perds ton temps ?

— Oui, je crois que je perds mon temps ici.

— Mais tu y es, ici, Ruby. Tu n'as pas le choix. Ton temps, c'est à toi d'en faire quelque chose.

On est restées silencieuses pendant quatre minutes. J'ai regardé tourner la grande aiguille de la pendule.

Elle avait raison.

Je perdais mon temps en ne lui disant rien.

Greg, l'ami de papa, celui qui a des crises d'angoisse, reste chez lui toute la journée et se fait livrer des pizzas.

Mes crises à moi étaient absolument terrifiantes. Lorsqu'elles se produisaient, je me sentais vidée et vulnérable.

Le docteur Z avait l'air plutôt sympa avec son ridicule pull brodé et ses lunettes rouges. J'avais du mal à croire qu'elle avait pu décrocher un doctorat en psychiatrie.

Je n'avais personne d'autre à qui parler. Aucune de mes amies ne m'adressait plus la parole. Ni Cricket. Ni Kim. Ni Nora. Pas même Melissa ou Noel.

— Sean est le garçon avec qui tout a commencé.

En CE1, Sean n'était pas encore le joueur de football américain blond d'un mètre quatre-vingt-dix-huit qu'il est aujourd'hui. C'était une crevette avec des cheveux blancs qui tirait la langue sur le côté lorsqu'il se concentrait. Je ne l'avais jamais remarqué. Personne ne l'avait jamais remarqué. Jusqu'au jour où je suis tombée sur lui à la bibliothèque de l'école. Il consultait un gros livre sur les félins que j'avais déjà lu.

— Tu savais qu'une panthère était en réalité un léopard noir ? ai-je dit.

Il a eu l'air surpris et a ramené le livre contre sa poitrine.

— Et qu'un lion des montagnes, un couguar et un puma, c'était le même animal ? ai-je continué. Tout est écrit là-dedans.

— Où ça ?

— Attends, je vais te montrer.

Nous nous sommes penchés sur le livre et avons examiné des photos de lions, d'ocelots et de lynx gambadant dans la nature. J'ai réalisé que Sean connaissait déjà plein de trucs sur les fauves de cirque et leur dressage. Il m'a raconté une histoire marrante sur un chat qu'il connaissait et qui savait faire des trucs rigolos.

Environ une demi-heure plus tard, Katarina et Arielle sont entrées dans la bibliothèque. Lorsqu'elles nous ont vus penchés sur le livre, tête contre tête, elles se sont mises à chanter :

— *Chapeau de paille, les amoureux ! Ruby est belle, tout le monde la veut !*

— Chut ! a protesté la bibliothécaire.

Mais le mal était fait.

Tout le reste de l'année, les gens se sont moqués de nous à chaque fois que nous nous trouvions à moins de deux pas l'un de l'autre.

Pendant la récréation :

— Ruby a un petit ami, Ruby a un petit ami !

Lorsqu'on jouait à l'épervier :

— Ruby, j'ai attrapé Sean ! Viens l'embrasser !

À l'heure du déjeuner :

— Sean ! Il y a une chaise libre à côté de Ruby. Tu veux pas t'asseoir avec ta copine ?

Le pire, c'est que Sean venait *effectivement* s'asseoir près de moi et qu'il me laissait sa balançoire dès qu'il m'apercevait.

Moi, je niais avec énergie, lui non. Lorsque les autres se moquaient de nous, il me regardait droit dans les yeux, avec un doux regard de crevette que j'aimais bien. Au bout de quelques semaines de ce manège, c'était comme si nous étions unis par un lien secret, rien qu'à nous, sans jamais en avoir parlé.

Après les vacances d'été, les gens semblaient avoir tout oublié. Il y avait de nouvelles rumeurs à faire circuler. Cette vieille histoire n'amusait plus personne.

Mais Sean et moi n'avions pas oublié. J'évitais de lui adresser la parole tant que ce n'était pas absolument indispensable. Je l'ignorais quand on jouait à chat, je ne m'asseyais jamais à côté de lui au déjeuner, je ne le choisissais jamais comme partenaire lors des sorties de classe. Je ne voulais pas prendre le risque de relancer les moqueries, et je suis certaine qu'il partageait mon avis. Pourtant, de temps à autre, il continuait à me lancer son doux regard de crevette, dans la cour, à travers la foule des élèves.

À la rentrée de seconde, il n'avait plus rien d'une crevette. Ses cheveux, plus foncés, étaient devenus blonds, et c'était un athlète. Il était calme, brillant en informatique et en sciences ; il jouait du violon dans l'orchestre de Tate. Il était plutôt mignon, malgré un nez un peu fort. Ce n'était pas une star du lycée, mais pas non plus un de ces tarés renfermés maniaques des ordinateurs. On ne s'adressait toujours pas la parole. C'était devenu une vieille habitude entre nous. Si une chaise était disponible à côté de lui, je l'évitais, par réflexe. Quand on se croisait dans un couloir, on ne se disait pas bonjour. Aucun contact, rien que des regards. Jusqu'à ce que...

— Vous savez quoi ? a demandé Kim, une semaine après la rentrée de seconde.

Cricket, elle et moi bavardions, assises dans l'herbe devant la cafétéria[18], après le déjeuner. On regardait passer les élèves en buvant du soda. Cricket se faisait des tresses.

— Non, ai-je répondu.

— Sean Murphy est un biscuit craquant.

J'ai ouvert mon manuel de littérature et je me suis plongée dedans. Une habitude due aux années passées

---

18. *Cafétéria* est le nom pompeusement attribué au réfectoire de Tate. L'école comporte environ huit bâtiments répartis sur une vaste pelouse nommée *agora*. C'est d'un snobisme !

à me persuader que Sean n'existait pas. Mais Cricket a hoché la tête.

— Tu as raison, a-t-elle dit en observant Sean qui frappait dans un ballon de foot en compagnie de deux copains. C'est un biscuit[19]. Aucun doute là-dessus. Mais c'est un biscuit craquant. Et ça fait toute la différence.

— On est restés ensemble, hier, après les cours, a dit Kim.

— J'y crois pas ! s'est exclamée Cricket en la frappant avec une brindille.

— Sans blague. Je suis allée faire mes devoirs au *B&O*[20] et il travaillait au comptoir.

— Il s'est passé un *truc* ? ai-je demandé.

— Ouais, a-t-elle répondu. Je crois qu'on peut parler d'un *truc*.

— Quel genre de *truc* ? a demandé Cricket.

— Un *truc truc*.

— Un *truc truc* ? Tu veux dire, pour de vrai ?

— Ouais, peut-être bien.

— Bon, c'était un *truc truc* ou pas ?

----

19. *Biscuit* : garçon mignon, agréable, mais ordinaire. Une pâtisserie bien préparée, mais pas de quoi perdre la tête. Pas aussi festif qu'un gâteau. Pas aussi classe qu'un croissant. Pas aussi croustillant qu'un cookie.

20. Le *B&O* est un café. Un peu comme *Starbucks*, mais avec des super gâteaux et des illustrations d'Indiens imprimées sur les tables. C'est tout près du quartier chicos où vit Kim. On peut s'y asseoir aussi longtemps qu'on le souhaite, y faire ses devoirs ou y bavarder. Nous y allons souvent quand nous ne sommes pas chez Cricket. Enfin, j'y vais moins souvent que les autres, vu que Kim, Cricket et Nora peuvent y aller à pied ou en vélo, alors que je dois prendre le bus et changer deux fois.

— OK, c'était incontestablement un *truc truc*.

— Attends une minute, ai-je dit. Tu veux dire que vous vous êtes embrassés ?

Kim a levé les yeux au ciel.

— Disons que je n'ai pas dit le contraire.

— Tu as embrassé Sean Murphy ? a gloussé Cricket.

— Cricket !

— Il s'est passé un *truc truc* entre Kim et Sean hier après-midi et on ne nous tient au courant que maintenant ?

Cricket semblait scandalisée.

— J'avais plein de devoirs, a dit Kim.

— Ce n'est pas une excuse. Tu aurais pu nous envoyer un e-mail, au moins, a protesté Cricket. Tu dérapes complètement, ma pauvre fille. Un *truc truc* avec un biscuit craquant, et personne n'est au courant ? Où va le monde ?

— Attends ! ai-je dit en levant la main. Ce n'était un véritable *truc truc* que si le baiser était réussi.

— Oh, c'est vrai, a dit Cricket. Il embrasse bien ?

— A-t-il mis la langue ?

— Une petite langue discrète ou une énorme langue baveuse, tout entière ? a précisé Cricket.

— Et ça s'est passé où ? ai-je demandé. T'a-t-il mis la langue directement, comme ça, en plein *B&O* ?

— Il t'a raccompagnée chez toi ?

— Parle !

— Je n'ai pas dit que je l'avais embrassé, a dit Kim, l'air très satisfaite d'elle-même. J'ai juste dit que c'était un biscuit craquant, cette année.

— D'accord, donc il embrasse comme un dieu, a conclu Cricket en se levant pour rejoindre sa salle de cours. Non mais, regarde-la, elle en peut plus. Voilà ce que j'appelle une Kim épanouie.

Dès la semaine suivante, Kim et Sean le biscuit craquant sortaient ensemble, et ce n'était un secret pour personne. J'avais alors commencé à fréquenter Jackson (le n° 13 de la liste, mon désormais ex-petit ami et le principal responsable de la débâcle de seconde). Cricket sortait avec Kaleb, un garçon rencontré au cours d'un stage de théâtre pendant les vacances, et Nora avait… comment dire ? Eh bien, Nora peut parler de garçons toute la journée comme une vraie spécialiste. De plus, en quatrième, je sais de source sûre qu'elle a embrassé avec la langue quatre garçons différents au cours du même mois. Pourtant, elle n'a jamais vécu de relation avec un vrai petit ami. Je crois qu'elle aimerait bien. C'est juste que ça n'arrive pas. Du coup, elle pratique la photo, l'aviron et le basket.

L'afflux soudain de véritables petits copains nous a permis de rédiger de nombreux articles du *Grand Livre des garçons*, dont le plus important d'entre eux : *règles à respecter pour entretenir une relation avec un petit ami dans une école de petite taille*.

1. N'embrasse jamais ton copain à la cafétéria, ou dans tout autre espace clos ou exigu. Ça ennuie tout le monde. (N'est-ce pas, Melissa et Bick ?)

2. Ne laisse jamais ton copain poser la main sur tes fesses. C'est encore plus énervant que les baisers. (Toujours Melissa.)

3. Si ton amie n'a pas de cavalier pour le bal de printemps (le genre d'événement où il est absolument nécessaire d'être accompagnée, de mettre une robe compliquée, et tout ça) et que tu en as déjà un, tu dois absolument lui trouver un garçon disponible[21].

4. Ne jamais, jamais, embrasser le copain officiel d'une autre fille. Si son statut n'est pas clairement défini, renseigne-toi et sois sûre de ton coup. Ne fais pas confiance au garçon en question. Recoupe les informations.

5. Si ton amie s'est déjà montrée intéressée par un garçon, oublie-le. C'est elle qui y a pensé la première.

6. Les deux règles précédentes peuvent être violées si tu es absolument certaine que le garçon et toi êtes faits l'un pour l'autre. Si c'est le cas, qui oserait se dresser contre votre amour, sous prétexte que Tate est une école minuscule ?

7. Ne délaisse pas tes amies si tu as un petit copain. Cette école est trop petite pour que ton absence passe inaperçue.

8. Raconte le moindre détail à tes amies ! Nous jurons de garder ça entre nous.

....

21. En troisième, ni Nora ni moi n'avons été invitées pour le bal de printemps. Cricket y est allée avec Tommy Parrish, et Kim avec un type plus âgé nommé Steve Buchannon. Plus tard, nous avons découvert que des garçons parfaitement acceptables étaient eux aussi restés chez eux. Nous avons établi cette règle pour éviter qu'une telle débâcle ne se reproduise.

J'étais contente pour Kim. Elle n'avait jamais eu de petit ami officiel – et Sean semblait être le garçon idéal. Il l'appelait tous les jours, prenait le bus jusqu'à son quartier pour regarder la télé avec elle, laissait des petits mots dans sa boîte aux lettres, à l'école (là où nous recevions généralement des messages concernant des réunions ou des événements sportifs). Il s'asseyait fréquemment avec nous dans l'agora et déjeunait à notre table. Du coup, je me suis mise à rencontrer quotidiennement ce garçon à qui je n'avais pratiquement jamais parlé.

J'aurais pu briser la glace, bien entendu. Ç'aurait été une attitude responsable. J'aurais pu essayer de me lier d'amitié avec lui, comme Nora et Cricket. Nous ne serions pas devenus des amis proches, mais on aurait au moins rigolé un peu. Cricket l'appelait Myrtille, sans jamais lui expliquer pourquoi, et Nora assistait à ses matchs de foot avec Kim pour prendre des photos avec son Instamatic. Mais pour une raison que j'ignore, j'étais terrorisée à l'idée de parler à Sean ou d'être vue en sa compagnie. Je croyais toujours entendre la chanson de Katarina, « *Chapeau de paille, les amoureux...* ». Je ne parvenais pas à me défaire de l'habitude d'ignorer les chaises libres à côté de lui.

Et puis, si les rumeurs reprenaient, je ne voulais pas que Kim s'imagine que j'essayais de lui piquer son copain.

Alors je me contentais de rester polie. Je lui disais « salut ! » et tout ça, mais je n'avais aucun rapport avec lui tant que ce n'était pas indispensable. Lui, de son côté, se comportait plus ou moins de la même manière. C'était plus simple comme ça.

À la fin du mois d'octobre, alors qu'elle sortait avec Sean depuis six semaines, Kim m'est littéralement rentrée dedans.

— Tu as un problème avec Sean ? m'a-t-elle demandé.

Nous mangions une glace, assises sur le pont de ma maison. C'était sans doute le dernier jour agréable avant l'automne et les fortes pluies qui s'annonçaient.

— Pas du tout, j'ai répondu.

— Parce que tu ne lui parles pratiquement jamais.

— Ah bon ? Je n'avais pas remarqué.

— Tu lui fais froid dans le dos.

— Ce n'était pas le but, Kim. Je suis très préoccupée. (C'était faux, juste une excuse.)

Kim a eu l'air inquiète.

— Préoccupée par quoi ?

— Par le fait que Mr Wallace ne sera jamais mon mari, ai-je plaisanté. Je ne supporte pas d'être séparée de lui, mais il est trop marxiste pour moi. Non, il ne m'épousera jamais.

— Ruby…

— Jamais je ne le verrai en caleçon, le matin, avant de partir au travail et de le laisser à la maison avec les enfants. Il ne sera jamais d'accord.

— … il est déjà marié.

— Eh oui. Encore un problème. Notre amour est impossible. Tu tiens vraiment à me cuisiner à un moment de ma vie si délicat ?

— Ruby, sérieusement…

— Mr Wallace ne m'aime pas. J'ai besoin d'une autre glace.

— Qu'est-ce qui se passe entre Sean et toi ?

Une fille intelligente aurait dit : « Rien, je le jure sur ma propre tête. » Puis elle se serait efforcée d'entretenir des relations normales avec Sean.

Mais moi, non.

J'ai décidé de tout mettre sur le tapis, de lui raconter ce qui s'était passé en CE1, ce dont personne ne se souvenait à part lui et moi. Que nous nous étions rencontrés autour de ce livre sur les félins, que Katarina et Arielle s'étaient moquées de nous, qu'il me gardait une balançoire libre à la récré et qu'il me lançait encore des regards de crevette lors du dernier semestre.

Kim était ma meilleure amie. Je voulais qu'elle comprenne pourquoi je me comportais de façon aussi bizarre avec Sean. Je croyais que je pouvais tout lui dire.

Mais maintenant, je sais que j'aurais mieux fait de me taire.

3. Hutch (mais je ferais mieux de ne pas y penser)

Le docteur Z m'a laissée raconter mon histoire sans dire un mot. Elle s'est contentée de me regarder en hochant la tête.

À la maison, papa n'arrête pas de me poser des questions. Il veut tout savoir sur mes amies. Ma mère, elle, m'interrompt à tout bout de champ pour me raconter des anecdotes sur sa jeunesse et me démontrer qu'elle a vécu les mêmes expériences que moi, mais en pire. C'était étrange de parler pendant une demi-heure à une personne qui m'écoutait en silence. Enfin, le docteur Z a regardé la pendule et m'a indiqué que la séance était presque achevée.

— Reviens jeudi, a-t-elle ajouté, et nous parlerons du n° 3.

Le n° 3, c'était Hutch.

J'avais failli ne pas le faire figurer du tout. Je préférais oublier cette histoire. Non pas qu'elle soit absolument horrible. Non, c'est juste que Hutch est devenu un lépreux[22] à Tate. J'ai parfaitement conscience que

----

22. *Lépreux* : la lèpre est une affection extrêmement contagieuse qui fait littéralement pourrir sur pied les gens qui en sont victimes. À tel ☞

je devrais me comporter de la même façon avec tous les élèves de l'école et les traiter sur un pied d'égalité, mais j'avoue que c'est plus fort que moi. Hutch s'assied toujours au fond de la salle de classe. Je pense qu'il est victime d'humiliations inavouables dans le vestiaire des garçons. Et je me sens mal à l'aise lorsque les gens ricanent sur son passage. Mais il me fait vraiment flipper. Il a l'air de vivre dans un univers parallèle. Il rumine sans cesse des pensées hard rock, ne lave jamais ses longs cheveux hard rock et ne brosse pas davantage ses dents grises et hard rock[23]. Lorsqu'on lui adresse la parole, il profère des paroles incompréhensibles, des sortes de *private jokes* qu'il est le seul à pouvoir comprendre.

Un jour, Nora s'est assise à côté de lui en cours de littérature. Elle portait un sweat à capuche noir. Elle était dans sa phase total black look.

— Ah, Nora Van Deusen ! s'est exclamé Hutch. *Back in black ! I hit the sack.*

— Quoi ?

----

point que *des bouts de leur corps finissent par se détacher*. Dans le monde de Tate, un lépreux est un élève qui n'a pas d'amis.

23. Je sais bien que certaines personnes n'ont ni accès à l'eau courante ni les moyens de s'offrir du dentifrice et que je suis hyper privilégiée. Mr Wallace parle souvent de la pauvreté et du cercle vicieux qui condamne certaines personnes à ne pas trouver d'emploi correct : ils ne peuvent ni se laver ni s'habiller correctement, et il leur est impossible de postuler à un job qui pourtant leur conviendrait. Enfin, vous voyez, ce genre de choses. Mais ce n'est pas le cas de John Hutchinson, alias Hutch. Il vit dans une immense villa, au cœur d'un quartier sécurisé. Je le sais, parce qu'il habite tout près de chez Jackson, et que je l'y ai rencontré de temps en temps. Sa mère conduit une Mercedes. Il *choisit* délibérément d'avoir les cheveux gras.

— *Back in black! I hit the sack*[24].

— Mais de quoi tu parles ?

— Laisse tomber.

Hutch a secoué la tête comme si Nora était l'idiote du village.

— J'ai bien entendu, là ?

— Ouais.

— Tu veux qu'on se mette au pieu ?

— Non, t'as mal compris, a marmonné Hutch. D'ailleurs, tu peux pas comprendre.

— Je préfère, parce que sinon…

— Ça va. C'était juste une blague.

— Un truc que personne ne peut comprendre n'est pas une blague, a lâché Nora en ouvrant son cahier[25].

Hutch était comme ça. Il marmonnait des trucs qui semblaient inquiétants, mais dont on ne comprenait pas le sens. Si on avait le malheur de mal le prendre, on passait pour un idiot. Il citait des trucs inconnus ou faisait des références obscures tout en sachant parfaitement que personne n'avait la moindre idée de ce dont il s'agissait. Bref, il parlait sans communiquer. En gros, il ne s'adressait qu'à lui-même[26].

---

24. « De retour dans le noir ! J'me fous au pieu. » (NdT)

25. Pour info, j'ai raconté cet incident à mon père. Il m'a expliqué que Hutch citait un morceau d'AC/DC, un groupe de rock des années 1980. Je préfère ne pas vous décrire mon père chantant cette chanson – dont il connaissait les paroles par cœur – en jouant de la guitare fantôme au milieu du salon. Un cauchemar que je préfère vous laisser imaginer.

26. Ça, c'est tout Hutch. S'il cite une chanson rock, il ne fait même pas référence à un groupe que notre génération aurait la moindre chance de connaître. Il est dans un trip préhisto-rock.

En CM1, Hutch était un garçon charmant que tout le monde appréciait. Je ne sais pas exactement ce qui s'est passé pour qu'il change à ce point. Je n'arrive pas à me souvenir à quel moment il s'est transformé en lépreux. Tout ce que je sais, c'est qu'avant, il était cool. Un jour, il a glissé un énorme paquet de nounours au chocolat dans ma boîte aux lettres, avec un petit mot. Je me souviens que j'étais contente qu'un garçon aussi brillant et bien dans ses baskets m'ait remarquée. Le mot ne disait rien de particulier : « *De la part de J.H. (John Hutchinson)* ». Pendant une seconde, je me suis demandé s'il ne s'était pas trompé de destinataire. Sans doute étaient-ils destinés à Arielle Oliveri, qui possédait, et possède toujours, la boîte voisine de la mienne. Mais non. Quand j'ai levé la tête, j'ai vu Hutch qui me souriait de l'autre côté du couloir. Alors j'ai su qu'ils étaient bien pour moi. Je me sentais toute bizarre, parce que nous n'avions pas beaucoup parlé ensemble, mais j'ai mis une poignée de nounours dans ma poche. Je les ai dégustés très lentement, tout au long de la journée, en me répétant en boucle que Hutch m'aimait et qu'il m'avait fait un cadeau. « Hutch m'aime bien, il m'a offert des bonbons, Hutch m'aime bien, il m'a offert des bonbons… »

Le reste des nounours, je les ai ramenés à la maison et les ai cachés sous mon oreiller. Ils m'ont fait la semaine. J'en mangeais la nuit en pensant que j'avais une sorte de petit ami, et que mon père me tuerait s'il apprenait que je me goinfrais de bonbons après m'être brossé les dents.

Hutch et moi nous sommes assis l'un à côté de l'autre pendant une conférence à l'école ; je lui ai envoyé deux bonbons en forme de cœur scotchés sur une carte de Saint-Valentin ; nous nous sommes souri pendant plusieurs semaines. Mais en fait, nous étions trop jeunes pour aller plus loin.

Puis un jour, j'ai vu Arielle sortir un grand sachet de nounours au chocolat de sa boîte aux lettres.

— Il doit y avoir une erreur, lui ai-je dit.

— Non, non. Regarde.

Elle m'a montré la carte attachée au sachet. Il y avait son nom dessus. De l'autre côté du couloir, Hutch lui souriait.

— Alors il a rompu ? a demandé le docteur Z.

C'était deux jours plus tard, lors de notre troisième rendez-vous.

— Je suppose.

— Tu n'es pas sûre ?

— Je pense qu'il m'a *remplacée*.

— Oh. Et ça t'a mise en colère ?

— Non, pourquoi dites-vous ça ?

— Ça aurait pu te mettre en colère, vu la façon dont tu décris Hutch aujourd'hui, *ce lépreux aux dents grises et hard rock*.

— Ça, c'est juste mon vocabulaire. Je ne suis pas en colère.

— Je ne cherche pas à te faire dire ce que tu n'as pas dit.

— En fait, je pense que je me suis sentie soulagée. C'était sympa qu'il m'aime bien, mais je ne savais même pas ce que j'étais censée faire ou dire. Ça me rendait nerveuse, à l'école. Quand il a commencé à s'intéresser à Arielle, je n'ai plus eu à m'inquiéter pour ça.

— Parler à un garçon qui t'aime bien te rend nerveuse ?

— Est-ce que ça ne rend pas *toutes* les filles nerveuses ? Ce n'est pas un truc universel ? Vous savez, les mains moites, le souffle court, les symptômes de l'amour, quoi ?

— Peut-être. Mais c'est de toi que nous parlons. Et c'est toi qui es victime de crises d'angoisse.

Aucune de mes amies ne m'adresse la parole depuis le bal de printemps. Et je ne sais même pas pourquoi.

Enfin, pas exactement.

Bon, c'est évidemment à cause de l'affaire Jackson. Mais pourquoi Cricket et Nora ont-elles pris le parti de Kim ? Ça, je n'en ai aucune idée.

Le mardi qui a suivi ma première séance chez le psy, l'une d'elles m'a finalement parlé, et ses paroles ont été pires que son silence. À midi, je faisais la queue pour m'acheter un soda et un sandwich que j'envisageais d'aller engloutir sur mon banc, derrière la bibliothèque, lorsque Nora s'est plantée derrière moi.

Je pense qu'elle m'aurait évitée si elle avait réalisé ma présence, mais son plateau était déjà sur le comptoir et elle y avait posé une bouteille de jus d'orange. Elle était complètement coincée.

— Il y a un problème ? lui ai-je demandé lorsque le silence est devenu insupportable.

Elle m'a regardée en soupirant.

— Ça t'étonne ?

— C'est à cause de la photocopie[27] ?

— Tu me prends pour une imbécile ?

— Alors explique-moi.

La voix de Nora était pleine de fiel.

— Tu ne peux pas sortir avec le petit ami d'une copine, Ruby. C'est carrément contraire aux règles.

— Quoi ?

— *Les règles à respecter pour entretenir une relation avec un petit ami dans une école de petite taille.* C'est toi qui les as rédigées.

— Nous ne sommes pas sortis ensemble. C'était juste un baiser.

(L'affaire Jackson, une longue histoire. Sachez seulement que nous nous étions embrassés alors qu'il était avec Kim, ce qui, d'un point de vue technique, était une violation des règles en question.)

— Ça ne fait aucune différence, a dit Nora en haussant les épaules. Il n'était plus avec toi.

— C'est lui qui m'a embrassée. Qu'est-ce que j'étais censée faire ?

— Peu importe.

— C'est plus mon petit ami que celui de Kim.

---

27. Je vous donnerai davantage de détails sur cette affaire un peu plus tard. Pour le moment, je le répète : ne jetez *jamais* un document personnel dans la poubelle de l'école. Jamais.

— Faux.

— On est sortis ensemble pendant six mois.

— Ouais, mais c'est terminé.

— Il m'a embrassée.

— C'est toi qui as commencé, Ruby. Tout le monde t'a vue.

— Mais il faut voir le contexte ! ai-je crié. Est-ce que tu as pensé à ce que je pouvais ressentir ?

— Je ne pensais pas que tu serais capable de trahir l'une d'entre nous. C'est vraiment dégueulasse.

Nora a sorti sa carte de cafétéria et s'est glissée hors de la file, en marchant à vive allure, comme si elle était pressée de mettre un terme à cette conversation.

Je l'ai suivie.

— Tu ne veux même pas écouter ma version de l'histoire ?

— Qu'est-ce que tu vas encore me sortir ?

Elle a rejeté ses cheveux derrière ses épaules et s'est détournée.

— Alors tu décides que je ne suis plus ton amie ? Sans même discuter ?

— Je ne sais même plus si tu as vraiment été une amie, maintenant, a-t-elle lâché en me tournant le dos.

Je n'arrivais pas à croire ce que j'entendais. Après ce que Kim m'avait fait.

— Et Cricket est de mon avis, a-t-elle ajouté.

— Quoi ?

— Tu parles toujours d'officiel et de non officiel. Et tu oublies tes principes dès qu'ils contrarient tes plans. On dirait que tu n'arrives même pas à réaliser que les autres éprouvent des sentiments.

— Et Kim, alors? ai-je crié. Et *mes* sentiments à moi?

— Kim n'a franchi aucune limite. Elle a respecté les règles, scrupuleusement.

— C'est ce qu'elle prétend.

— Elle dit la vérité.

— Et comment tu le sais?

— Elle n'agirait jamais comme tu l'as fait. Tout le monde t'a vue embrasser ce garçon. Elle s'est sentie humiliée. Ça ne t'a pas effleuré l'esprit?

— *Elle* s'est sentie humiliée?

Ma gorge se serrait et ma vision se troublait. Je sentais monter en moi une nouvelle crise d'angoisse.

— Il faut que j'y aille, ai-je dit en me précipitant hors de la cafétéria pour m'oxygéner.

J'ai suivi les instructions du docteur Z : respirer calmement et profondément, penser à des choses apaisantes, même si je sentais que j'allais tomber raide morte, là, appuyée contre le mur du réfectoire.

Le rendez-vous de l'après-midi avec le docteur Z m'a fait du bien. Je lui ai raconté l'affaire Hutch, et évoqué mes soucis avec mes amies qui refusaient de me parler. Soudain, j'ai eu une révélation : j'étais devenue Hutch. Bon, vous pensez que je dramatise (et que je deviens folle). Pourtant, en l'espace de deux semaines, j'étais passée de raisonnablement populaire à authentiquement lépreuse. Lorsque je parlais, j'aurais aussi bien pu m'adresser à moi-même, vu que personne ne semblait comprendre un traître mot de ce que je disais.

Le jour suivant, j'étais déterminée à affronter l'épreuve de la cafétéria. Je n'y avais pas déjeuné depuis plus d'une semaine, et même les lépreux ont besoin de calories. D'une façon ou d'une autre, un lépreux parvient toujours à s'adapter à la situation. En général, il s'alimente seul dans un recoin obscur, avec ses livres empilés devant lui, tandis que les autres discutent et s'amusent. Il n'était pas question que je mange tous les midis sur le banc, derrière la bibliothèque, pour le restant de mes jours.

Au buffet des salades, j'ai pris mon temps pour confectionner ma recette favorite : laitue, raisin, nouilles chinoises frites, maïs, fromage, olives noires, le tout arrosé de vinaigrette allégée. Je pinaillais en rajoutant d'autres ingrédients ici et là, lorsque j'ai aperçu Cricket, Kim, Jackson et Nora assis à notre table habituelle.

Sean, qui avait l'habitude de manger avec nous, était attablé avec quelques membres de son équipe de foot.

Hutch était assis dans un coin, un iPod sur les oreilles, et observait son hamburger avec intérêt.

Il y avait une table pleine de garçons juste en face de moi : Shiv (n° 11 sur la liste), Frank (n° 15), Matt (le meilleur ami de Jackson), Kyle (un autre copain de Jackson), Pete (le nouveau petit ami de Cricket) et Josh (que je ne pouvais pas voir en peinture). Me joindre à eux était au-delà de mes forces.

Katarina et sa bande m'auraient tolérée, sans doute. Enfin, disons que je ne pense pas qu'elles m'auraient poussée de ma chaise, ou quoi que ce soit de ce genre. Mais je savais qu'elles ne connaissaient de l'affaire du bal de printemps que la version de Kim, et je l'avais entendue me traiter d'allumeuse pendant le cours de Mr Wallace. Je doutais d'être la bienvenue à leur table. En plus, Heidi, une ex de Jackson, était parmi elles. Je ne supportais pas la sympathie qu'elle affichait depuis peu à mon égard. Genre : le même mec nous avait blessées toutes les deux et nous pouvions partager notre douleur. Deux semaines plus tôt, quand j'étais encore la petite amie du mec qu'elle aimait, elle était morte de jalousie et toujours prête à sortir ses griffes.

Derrière les tables des seconde et des première, près de la fenêtre, se trouvait celle des terminale.

J'ai inspecté vainement la salle à la recherche des membres de mon équipe de lacrosse[28].

Kim me tournait le dos mais je pouvais la *sentir* m'ignorer. Jackson lui a donné un coup d'épaule et elle a rigolé. Je me suis sentie vide et glacée.

....

28. Les filles de mon équipe forment une sorte de bande de sportives dont je n'ai jamais fait partie. Peut-être parce que je pratique la natation en automne alors que la plupart d'entre elles jouent au football. Ou parce que je suis goal, et que je ne suis pas vraiment sur le terrain avec elles. Ou parce que je suis désormais une célèbre lépreuse/allumeuse. De toute façon, elles sont sympas, mais terriblement *sérieuses*. Elles participent aux conseils de classe et aux cérémonies de remise des diplômes. Pas beaucoup d'histoires de mecs. Elles ne me font pas rire, et je ne les fais pas rire non plus. Disons qu'elles ont l'esprit d'équipe, c'est déjà ça.

Je suis restée toute bête avec mon plateau de salade au raisin. J'ai gardé les yeux rivés sur eux, comme si j'assistais à un accident de train au ralenti. J'étais hypnotisée. Il me semblait que tous les élèves présents dans le réfectoire pouvaient voir mon cœur éclater, mon sang jaillir de ma poitrine, dégouliner sur mes chaussures et se répandre sous les tables.

Et ils s'en fichaient, vu qu'ils pensaient que je le méritais.

Deux semaines plus tôt, lorsque j'avais encore une vie, des amies et un petit copain, j'avais déjeuné en compagnie de Melissa contre mon gré. Elle s'était approchée de moi, près du buffet des salades, mignonne à croquer dans son T-shirt de sport emprunté à Bick[29] et son vieux pantalon en velours côtelé.

— Ruby Oliver ? Est-ce que tu es sourde ? Ça fait une heure que je t'appelle !

Elle affichait cette mine boudeuse qui faisait que toutes les filles la détestaient[30]. Elle a désigné une table

---

29. Bick : son vrai nom est Travis Schumacher. Vous avez déjà vu le film *Taxi Driver* avec Robert De Niro ? Il joue une espèce de psychopathe triste et émouvant nommé Travis Bickle. Chaque fois que vous entendez quelqu'un répéter en boucle « *You talkin' to ME ?* » (C'est à MOI que tu parles ?), c'est quelqu'un qui imite De Niro dans *Taxi Driver*. Donc, Travis Schumacher, Travis Bickle, Bick. Voilà comment il a attrapé son surnom.

30. Quelques raisons de plus de ne pas aimer Melissa :
· elle se caresse toujours la nuque et s'humecte les lèvres comme dans une vidéo X (attention, je ne dis pas que j'en ai déjà vu). Quoi qu'il en soit, c'est carrément indécent et très énervant. En plus, les garçons ont l'air d'apprécier. En tout cas, ils ont les yeux rivés sur elle chaque ☞

occupée par des élèves de terminale[31]. Le meilleur coin du réfectoire, tout près des fenêtres. Melissa est la seule élève de seconde qui y déjeune tous les jours. En vérité, elle est la seule élève de seconde qui y ait *jamais* déjeuné, un peu parce qu'elle n'a aucune amie de son âge, mais surtout parce qu'elle est la petite amie de Bick depuis l'été dernier.

— Oh, ai-je dit. Je ne t'avais pas entendue.

— Viens t'asseoir avec nous, a-t-elle dit en me tirant par le bras.

Je me suis tournée discrètement vers Jackson, Cricket, Kim et Nora et leur ai fait un signe qui signifiait clairement : « Désolée, je n'y peux rien, cette fille est givrée. »

---

fois qu'elle fait ça, même lorsqu'elle ne leur demande qu'un conseil pour un devoir ;

· quand les gens sont assis en rond dans un jacuzzi (un truc typique de Seattle, pendant les soirées), elle est toujours en bikini alors que nous portons des T-shirts et des caleçons ;

· lorsqu'on étudiait *Othello* en cours de littérature, notre prof essayait de nous expliquer qu'il est absolument impossible de savoir quelque chose avec certitude et a demandé à la classe si nous pouvions citer une chose que nous pouvions tenir pour absolument certaine. Melissa est la seule à avoir levé la main et voilà ce qu'elle a répondu : « Je suis certaine que mon copain m'aime. »

31. Je ne pense pas que les élèves de terminale l'aiment davantage. Elles déjeunent avec elle, mais je ne la vois jamais partir avec aucune d'entre elles, s'asseoir en leur compagnie sur l'agora, sauf si Bick est présent lui aussi. Après tout, Melissa, qui est en seconde, sort avec un garçon de terminale qui aime le punk rock, joue au rugby, pratique l'aviron et porte des cheveux hérissés. Dans une école aussi petite que Tate, aux yeux des filles de terminale, voilà qui réduit sérieusement le nombre de garçons de leur âge disponibles.

— Bick, je te présente mon amie Ruby, celle que j'accompagne en voiture, a dit Melissa, en s'asseyant sur les genoux de son copain pour me laisser sa place. Tu sais, celle dont je te parle tout le temps.

J'ai souri et hoché la tête, mais à l'intérieur, j'étais liquéfiée.

— Salut, a dit Bick.

Il m'a lancé un sourire, puis il a poursuivi une conversation concernant une soirée organisée par Billy Alexander la semaine suivante. Melissa a chuchoté à mon oreille le nom de chaque élève de la table, comme s'il s'agissait de trophées qu'elle était fière d'avoir remportés.

— Debra, Billy, April, Molly, Frank.

Bien entendu, je connaissais déjà leurs noms.

Pendant une seconde, je me suis sentie mal à l'aise pour elle. Ces gens n'étaient pas ses amis. Pas vraiment. À part Bick, je voyais bien qu'ils se comportaient comme si elle n'existait pas.

D'ailleurs, je n'étais pas non plus son amie. La plupart du temps, son existence elle-même m'irritait. Et voilà qu'elle me présentait son copain, comme si nous étions intimes. Étais-je vraiment « celle dont elle parlait tout le temps » ?

Cette histoire de covoiturage n'avait rien à voir avec l'amitié. Chaque mois, je lui donnais de l'argent pour l'essence, et elle se pointait à l'heure devant chez moi. C'était une sorte de relation d'affaires. En général, on braillait à l'unisson de la radio et on inventait des paroles débiles. Parfois, on s'échangeait nos rouges à lèvres ou on copiait nos devoirs respectifs. Je lui avais apporté des cookies aux flocons d'avoine que mon père avait préparés (c'était avant que ma mère ne se mette à la nourriture macrobiotique) et on les avait dévorés pour le petit déjeuner.

J'étais au courant pour son psy et pour la mort de son père parce qu'elle en parlait très facilement. En fait, elle avait sans doute informé tous les gens qu'elle connaissait. Elle avait abordé le sujet à huit heures, alors qu'on était penchées à la fenêtre de la voiture devant le drive-in du *Starbucks*, sur le chemin du lycée, comme elle aurait parlé de sa dernière sortie avec Bick ou de ses leçons de chant. Elle n'était jamais rentrée chez moi[32].

J'ai avalé ma salade aussi vite que possible. Melissa et Bick ont commencé à se tripoter. Plusieurs filles de terminale ont levé les yeux au ciel avant de quitter la table. J'en ai profité pour m'éclipser à mon tour.

32. Sauf une fois, quand sa jeep est tombée en panne juste au moment où elle me débarquait. Elle est entrée pour appeler une dépanneuse. Après ça, elle est allée dans la salle de bains, puis elle est sortie en me demandant où était la baignoire.
Elle a eu l'air terrorisée quand je lui ai dit que nous n'en avions pas. Juste une douche. Bon sang, c'est une maison *flottante*. Il n'y a pas beaucoup de pièces, n'était-ce pas évident ? Kim, Nora, Jackson et Cricket ont visité ma salle de bains un million de fois et aucun n'a jamais fait la moindre remarque. Melissa m'a offert une de ces expériences que je vis de temps à autre à Tate, ces moments où je me prends à penser : « Je n'ai rien à voir avec ces gosses de riches. »
Mais une fois le choc encaissé, j'étais contente d'avoir Melissa à la maison. On a regardé des trucs crétins à la télé jusqu'à ce que sa mère vienne la chercher.

J'ai retrouvé Kim et Nora sur l'agora, et je leur ai fait un récit détaillé de cet étrange déjeuner. Puis nous nous sommes lancées dans un débat sur la virginité réelle ou supposée de Melissa.

Deux semaines plus tard, même Melissa avait cessé de me parler.

Je me suis assise à la table de Hutch. Nous n'avons pas échangé un mot. J'ai déjeuné en feuilletant mon manuel d'histoire-géographie.

4. Gideon (mais il ne m'a jamais touchée)

Gideon Van Deusen est le grand frère de Nora. Il vient de décrocher le bac et s'est offert une année sabbatique pour sillonner le pays et visiter des endroits bizarres, comme le palais du Maïs (unique au monde), ou le musée des Sciences chirurgicales. Il s'est préinscrit à l'université d'Evergreen pour l'année prochaine.

Je le trouvais craquant depuis la sixième. Il était alors en troisième. Son regard était intense. Tout a commencé lors d'une journée chez Nora. On jouait aux jeux vidéo. Gideon n'avait rien de mieux à faire, alors il glandait avec nous. Il m'a raconté une histoire rigolote. La semaine précédente, le chef de son groupe de prière avait apporté deux gâteaux à la banane. Le premier était délicieux, doux et acidulé. L'autre était spongieux et pesait une tonne. Le chef avait dit que les deux pâtisseries contenaient exactement les mêmes ingrédients. Sauf que, dans le second, les ingrédients avaient été incorporés dans le *désordre*. Il avait expliqué aux enfants que c'était pour ça que le gâteau était infect, et qu'il en était de même pour le sexe. Coucher avant le mariage, c'était faire les choses dans le *désordre*. Et ça te rendait infect. Mais si tu faisais les choses dans le *bon ordre*, c'est-à-dire sans coucher avant ta nuit de noces, tu devenais doux et acidulé. Un ange sur terre. Donc, tous les garçons et les filles devaient se préserver avant le mariage.

J'ai trouvé cette histoire exotique. D'abord, parce que ma famille ne va jamais à l'église. Ensuite, parce que, avant que Gideon ne me raconte cette anecdote, je n'avais jamais réalisé que les Van Deusen étaient chrétiens. Et puis parce que, quand Nora est allée dans la cuisine chercher du pop-corn, Gideon m'a dit qu'il préférait le gâteau lourd et spongieux.

— Pourquoi ? ai-je demandé.

— Parce qu'il faut penser par soi-même. Il ne faut pas croire tout ce que les gens disent.

— Mais il était vraiment meilleur ?

— Pas vraiment, a-t-il répondu. Mais politiquement, oui.

— D'accord, mais est-ce qu'il était mangeable, au moins ? Ou est-ce que tu as fait semblant ?

— Le problème n'est pas là, Ruby. Tu le sais bien.

Il avait prononcé cette phrase comme s'il avait confiance en mon jugement.

— Oh oui, ai-je dit. Je sais bien.

C'est à ce moment précis que j'ai décidé que Gideon était fascinant. Le soir même, j'ai écrit « *I love GVD* » sur la semelle d'une de mes baskets. Les jours suivants, j'ai fignolé l'inscription au marqueur magique violet lorsque je m'ennuyais en classe. En une semaine, c'était devenu un super logo magnifiquement calligraphié[33].

Puis un jour, j'ai posé les pieds sur le dossier de la chaise qui se trouvait devant moi[34].

Nora a vu la semelle de ma chaussure.

— GVD ? Tu veux dire Gideon ? Mon frère ? a-t-elle crié.

Je me suis mise à rougir.

— Non ! Je n'arrive pas à croire que tu t'intéresses à mon frère !

— Elle *l'aime*, a précisé Kim, en tournant la semelle de ma basket de façon à pouvoir l'examiner. C'est ce qui est écrit.

— T'inquiète pas, je te promets que je ne lui dirai rien, a déclaré Nora.

— Moi non plus, a ajouté Kim.

— Mais depuis quand tu t'intéresses à lui ?

---

33. Je sais, je suis débile.

34. Le docteur Z prétend que je *souhaitais* sans doute que ça se sache et que j'ai posé mon pied sur le dossier inconsciemment mais volontairement. Si j'ai vraiment fait ça, c'est que j'étais une masochiste (quelqu'un qui prend plaisir à souffrir) de onze ans, vu que je n'ai jamais été aussi gênée de toute ma vie ; si gênée que ça faisait mal, physiquement. Et si j'étais une masochiste de onze ans, je vous laisse imaginer à quel point je suis cinglée aujourd'hui. Allez, qu'on me mette à l'asile et qu'on en finisse.

Le docteur Z m'a dit qu'il existait sûrement des raisons importantes qui me poussaient à faire connaître mes sentiments pour Gideon, que c'était sans doute un moyen d'être honnête avec mes sentiments.

Je lui ai répondu qu'elle se trompait. Que j'étais juste stupide.

Elle a souri et m'a dit : « OK, Ruby, je vois que tu ne veux pas parler de ça pour le moment. On y reviendra quand tu seras prête. »

— Depuis quand elle *l'aime*, tu veux dire.

— Je le trouve chouette.

J'ai rangé mon pied.

— Trouver quelqu'un chouette n'est pas une raison suffisante pour l'aimer, a fait remarquer Kim.

— Beurk, a lâché Nora. Il est atroce.

— Il est différent, ai-je précisé. Il veut devenir musicien[35].

— Mais tu le trouves mignon ? a-t-elle demandé, incrédule, en fronçant le nez.

Bien sûr que je le trouvais mignon. Il était — et il est toujours — incroyablement mignon, d'une façon un peu sauvage et rebelle.

— Pas vraiment, ai-je répondu.

— Il a les sourcils qui se rejoignent.

J'adorais ses sourcils. J'adore toujours ses sourcils.

— C'est sa personnalité que j'aime bien, ai-je précisé.

Je me sentais complètement idiote.

— Il ne nettoie jamais sa chambre. Elle grouille de trucs moisis.

Il était original, c'était bien mon avis. Il avait mieux à faire que du ménage.

— Surtout, ne lui dis rien ! ai-je supplié.

Nora a secoué la tête, comme si je venais de lui avouer une passion nouvelle pour les collections d'insectes, pas pour son frère.

....

35. D'accord. Aujourd'hui je sais que tous les garçons de troisième des États-Unis veulent devenir musiciens. Ils jouent de la guitare imaginaire dans leur chambre et imitent les rock stars. Mais je l'ignorais, à l'époque.

— Je te le promets.

Bien entendu, elle n'a pas tenu parole. En tout cas, elle lui a mis la puce à l'oreille. L'après-midi même, alors que je traversais l'agora pour me rendre à la bibliothèque, Gideon est venu à ma rencontre.

— Ruby, on m'a dit qu'il y avait un truc sur la semelle de ta chaussure et qu'il fallait absolument que je voie ça.

— Hein ?

— Oui, sous ta chaussure.

— Non, il n'y a rien.

— Moi, je pense que si.

— Non, je te jure.

— Allez, fais voir.

— Non !

— S'il te plaît.

— Laisse-moi tranquille.

Il m'a taclée en riant et je suis tombée dans l'herbe en poussant des cris aigus, extrêmement embarrassée. L'horreur. Je n'avais jamais dit à un garçon que je l'aimais. Son haleine sentait le Coca-Cola. Je riais et pleurais à la fois. J'avais peur qu'il ne remarque que je n'avais pas encore de seins et que mes baskets dégageaient une odeur suspecte.

Mais lorsqu'il a vu ce qui était inscrit sur ma semelle, son visage s'est métamorphosé. Je ne pense pas qu'il s'attendait à ça. Voilà pourquoi j'apprécie toujours Gideon Van Deusen, avec ses chouettes sourcils rebelles : il n'a pas ri, il ne s'est pas moqué de moi, il ne m'a pas dit d'aller me faire voir. Il s'est assis, l'air très sérieux, et a dit :

— Ruby, c'est trop mignon. Je suis flatté.

— C'est juste un gribouillage, ai-je dit, les yeux rivés sur la pelouse.

— Non, c'est adorable. Je préfère que ça vienne de toi que de cette emmerdeuse de Katarina.

— Vraiment ?

Tous les autres garçons trouvaient Katarina irrésistible.

— Je t'assure. Tu peux écrire sur moi tout ce que tu veux, sous ta chaussure. Un roman, si ça te chante. Je trouve ça génial. Je vais devenir célèbre !

Il a jeté son sac à dos sur son épaule et s'est éloigné.

Je n'ai pas parlé à Nora pendant une semaine[36]. Puis elle a dit qu'elle était désolée, et j'ai passé l'éponge.

Il ne s'est rien passé de plus entre Gideon et moi.

Chaque fois que je le voyais chez les Van Deusen, mon cœur s'emballait.

Il disait « Salut, Ruby », mais il avait autre chose à faire que de discuter avec une gamine de mon âge.

Moi, je pense toujours à lui. Des fois, j'imagine qu'il roule tout seul dans la campagne. Qu'il joue de la guitare dans une prairie déserte, près d'un feu de camp. Qu'il apprend à surfer en Californie. J'ai demandé au docteur Z s'il était raisonnable d'aimer un garçon de

---

36. Si j'avais un cerveau, cette mésaventure m'aurait définitivement guérie de l'habitude de mettre par écrit tout ce que je pense des garçons. C'est extrêmement risqué. Mais à l'évidence, non, je n'ai pas retenu la leçon. Je continue à le faire, même après ce qui s'est passé avec la liste. Ce journal lui-même est une preuve irréfutable de mon imbécillité.

trois ans mon aîné qui ne m'aimera jamais[37]. Et de continuer à penser à un garçon qui ne m'a même pas touchée, à l'exception d'un tacle sur une pelouse.

— C'est normal d'avoir des fantasmes, si c'est ce que tu me demandes, a dit le docteur Z.

— Ça ne me semble pas normal. Je pensais à lui même quand j'étais avec Jackson.

— Quand vous vous trouviez ensemble ?

— Non. Quand j'étais toute seule.

— Et à quoi tu pensais ?

— À comment ce serait s'il m'aimait.

— Et alors, ce serait comment ?

— Tout serait plus facile, ai-je dit, au bout d'une minute. Plus facile et plus simple.

— La vie n'est pas simple, Ruby.

— Mais dans ce cas, elle le serait. Si je...

J'ai réalisé que je n'avais aucun argument.

— Est-ce que c'était simple avec Jackson ? Quand votre relation a commencé ?

— Oui, pendant à peu près un mois. Et puis tout s'est compliqué.

— Un mois, ce n'est pas très long.

— Je sais. Mais c'était un super mois.

En fin de quatrième, Jackson Clarke a déposé une petite grenouille morte dans ma boîte. Je sais que c'était lui

---

37. Mr Wallace a *quatorze* ans de plus que moi. Au moins. Je n'ai même pas besoin de demander au docteur Z de me confirmer que l'aimer relève de la psychiatrie.

parce que Cricket l'a vu quitter les lieux, un sac en plastique dégoulinant à la main. Nous nous sommes longuement demandé s'il s'agissait d'un acte d'agression (et si c'était le cas, pourquoi moi ?) ou s'il avait flashé sur moi et que c'était l'idée qu'il se faisait d'un cadeau (peut-être un cinglé des sciences nat ?).

Il était en troisième, et je ne l'avais jamais vraiment remarqué auparavant. Son visage était carré et couvert de taches de rousseur, ses cheveux châtain foncé avec une tendance à boucler lorsqu'il les laissait pousser. Il plissait les yeux quand il riait. Il était grand et sa voix était éraillée. Et c'était à l'évidence un petit con. Ma boîte a senti la grenouille pendant trois jours. Je me demandais s'il n'avait pas fait ça à la suite d'un pari.

J'étais triste pour la grenouille. Je l'ai enterrée sous un buisson, près du bâtiment principal. En fait, toute cette aventure m'avait un peu secouée, mais je ne comprenais pas pourquoi. Je me suis mise à observer Jackson dans les couloirs, en essayant de savoir s'il me haïssait ou si je lui plaisais, et s'il pensait seulement à moi. Mais il ne croisait jamais mon regard.

L'été est arrivé, et puis l'automne. À la rentrée de troisième, il n'est pas venu à Tate. Nous avons appris que son père avait décroché un poste à Tokyo pour un an et qu'il y avait emmené toute sa famille. Jackson allait au lycée au Japon. Je n'ai plus beaucoup pensé à lui, jusqu'à son retour l'année suivante.

J'adore la rentrée. Je m'interroge des semaines avant sur ce que je vais porter. J'ai des stylos et un bloc-notes tout neufs. Je casse le dos de mes livres de classe pour qu'ils tiennent à plat. Tout le monde semble différent, et pourtant personne n'a changé.

Jackson avait grandi d'à peu près dix centimètres. Il portait un jean et un T-shirt avec des inscriptions en japonais. Quand j'ai franchi la porte d'entrée du lycée, je l'ai vu rire en compagnie d'autres élèves de première dans le hall. C'est là que j'ai su que je l'aimais. Le soleil qui filtrait par les fenêtres auréolait ses cheveux. Il portait un bandage autour de son poignet, comme s'il se l'était foulé. Son sac à dos était posé à ses pieds, neuf et tout raide.

Je pense maintenant que je n'avais jamais cessé de l'aimer, toute l'année précédente, lorsqu'il se trouvait à l'étranger.

Dans les films, le héros et l'héroïne sont toujours victimes de terribles malentendus avant de tomber dans les bras l'un de l'autre. On dirait qu'il la déteste, elle croit le haïr, il lui fait un petit peu la cour, ils se rapprochent un court instant, puis elle comprend un truc de travers et le maudit de nouveau, malgré ses efforts à lui pour la reconquérir. Ou l'inverse.

Et puis on découvre qu'ils se trompaient tous les deux et qu'ils s'aiment à la folie. Et voilà, c'est fini[38].

---

38. Quelques films dont le héros et l'héroïne se détestent cordialement pendant la moitié du film : *Dix bonnes raisons de te larguer* ; *Un beau jour* ; *Quand Harry rencontre Sally* ; *Vous avez un message* ; *Intolérable cruauté* ; *African Queen* ; *Addicted To Love* ; *L'Impossible Monsieur Bébé* ; *Adieu, je reste* ; *Comment se faire larguer en dix leçons* ; *Pour le pire et pour le meilleur* ; *French Kiss* ; *Un jour sans fin* ; *Une vie moins ordinaire*.

Bon, je sais que je regarde trop de films. Je devrais donner un coup de main à mon père avec ses plantes, aider les nécessiteux ou prendre l'air. Mais j'attendais que le grand amour se présente, avec sa cascade de rebondissements, de ratages et de coups de théâtre. Une relation orageuse qui se transformerait soudain en passion au moment où lui et moi nous y attendrions le moins. Ne vous méprenez pas. Je ne rêvais pas de violons et de couchers de soleil. Enfin, pas obligatoirement. Je voulais juste vivre ma petite comédie sentimentale.

Mais non. Entre Jackson et moi, ça s'est tout de suite super bien passé. En fait, ça ne ressemblait même pas à une histoire d'amour telle que je l'imaginais.

C'est le milieu qui a été difficile.

Et la fin, encore pire.

Dans les films, le héros et l'héroïne traversent des crises épouvantables. Tout semble complètement râpé, et on n'imagine même pas une seconde que ce couple pourra se remettre ensemble. Puis, tout à coup, ils réalisent qu'ils ne peuvent pas vivre l'un sans l'autre. Alors ils se marient et ont beaucoup d'enfants[39].

Tout ça, c'est n'importe quoi. Lorsque vous détestez quelqu'un que vous avez aimé parce qu'il a commis un

---

[39]. Les films où, après avoir quitté l'héroïne, le héros réalise qu'il l'aime à la folie et ne peut pas vivre sans elle : *Pretty Woman* ; *Officier et gentleman* ; *Le Journal de Bridget Jones* ; *Entre chiens et chats* ; *Génération 90* ; *Jerry Maguire* ; *High Fidelity* ; *Un monde pour nous*. Voir aussi : *Coup de foudre à Notting Hill* ; *Grease* ; *Quatre mariages et un enterrement* ; *Just Married (ou presque)*. Sauf que là, c'est l'héroïne qui revient vers le héros.

acte impardonnable, il n'y a pas de malentendu. C'est qu'il l'a bel et bien commis.

Et vous ne l'aimerez plus jamais.

Il ne s'excusera pas et ne reviendra pas se jeter dans vos bras.

Il ne pense sans doute même plus du tout à vous, parce qu'il est trop occupé à penser à quelqu'un d'autre.

Il faut voir les choses en face. Il n'y aura pas de happy end. N'allez pas vous imaginer que votre rupture n'est qu'une crise passagère avant la grande scène romantique, parce que je suis bien placée pour savoir que ça n'arrivera pas. Quand on se fait larguer, on se fait larguer. Aucune chance que l'autre change d'avis et réalise subitement qu'il vous aime davantage que cette fille avec laquelle il flirte à la cafétéria, maintenant qu'il est disponible[40].

Ce matin-là, jour de la rentrée, Jackson m'a souri.

Le lendemain, il m'a dit « Salut ».

— Salut, j'ai répondu.

Le surlendemain, il m'a dit « Hé, Ruby, quoi de neuf ? » et j'ai répondu « Pas grand-chose ».

Mais le quatrième jour — c'était avant que Kim n'ait remarqué le caractère craquant de Sean le biscuit —, j'ai trouvé un mot dans ma boîte. J'en recevais tous les jours, de Kim, Nora et Cricket, mais celui-là était plié en quatre, avec une grenouille dessinée dessus. Je savais qui était son auteur, sans même l'avoir déplié.

---

40. Le docteur Z affirme qu'exprimer sa colère est un excellent traitement contre l'angoisse. Aussi, afin de prévenir d'éventuelles crises d'angoisse, je me libère. Pas mal, hein ?

Le mot disait : « *La grenouille était destinée à cette tache d'Arielle Oliveri. Pas à toi. Désolé.* » Puis : « *P.S. Je viens d'avoir mon permis. Tu veux que je te raccompagne ? Jackson.* »

Mon père est venu me chercher à la sortie des cours. Il a attendu devant le bâtiment principal pendant quarante-cinq minutes. J'étais partie depuis longtemps.

Nous sommes allés chez *Dick*, le burger-drive dont les première et les terminale parlaient si souvent. Je n'y étais jamais allée, vu qu'à ce moment-là, aucune de mes amies n'avait l'âge de passer le permis. Je suis végétarienne, alors j'ai pris des frites et un milk-shake. Jackson a commandé un hamburger et une bière sans alcool. On s'est assis sur le capot de sa vieille Dodge, qui avait autrefois appartenu à son oncle.

Il m'a parlé de son année passée à l'étranger, puis il m'a dit quelques mots en japonais quand je lui ai demandé s'il maîtrisait cette langue.

J'ai sorti mon discours habituel sur ma famille.

Il m'a dit qu'il voulait entrer dans l'équipe d'aviron au printemps, mais qu'il était inquiet parce qu'il n'avait pas pratiqué depuis son départ pour l'étranger.

Il m'a parlé de la nourriture japonaise, et il a précisé qu'il avait mangé du poisson cru. J'ai dit que les frites étaient meilleures avec de la moutarde de Dijon.

Il a dit qu'il avait toujours été très ketchup.

J'ai dit que s'il essayait la moutarde, il deviendrait complètement accro.

Il a dit qu'il avait déjà essayé la moutarde.

Je lui ai demandé si elle venait de Dijon.

Il m'a dit que non, juste de la moutarde normale.

J'ai dit qu'alors il n'avait pas vraiment essayé la moutarde.

Il m'a demandé si j'avais déjà goûté à la mayonnaise.

J'ai dit que la mayonnaise, c'était immonde.

Il s'est penché près de moi et il a dit : « Vraiment, tu n'aimes pas ça ? »

J'ai dit beurk.

Il m'a embrassée et il a chuchoté qu'il adorait la mayonnaise.

Il m'a embrassée de nouveau.

Et je ne me suis plus sentie nulle du tout.

Et je ne me suis plus demandé si je savais comment embrasser.

Et mes lunettes ne m'ont pas gênée.

Et je ne me suis pas demandé s'il allait le dire à ses amis.

Et je ne me suis pas demandé s'il se moquait de moi.

C'est Jackson Clarke, je me suis dit, celui qui a mis une grenouille dans ma boîte. C'est Jackson Clarke, celui qui portait un appareil dentaire. C'est Jackson Clarke, qui a vécu au Japon. C'est Jackson Clarke, dont la langue a un goût de bière sans alcool. C'est Jackson Clarke, que je trouvais ordinaire. C'est Jackson Clarke.

Je l'ai embrassé à mon tour.

Il m'a ramenée à la maison.

Et, croyez-moi ou pas, il y avait bel et bien un sublime coucher de soleil.

5. Ben (mais il n'était même pas au courant)

J'ai rencontré Ben Moore en colonie de vacances, après la sixième. Je crois bien qu'il n'a jamais su que j'existais.

— Je n'ai rien à dire à son sujet, ai-je dit au docteur Z. Il me plaisait. Il plaisait à tout le monde. Il était lumineux.

— Qu'est-ce que tu aimais en lui ?

Aucune réponse ne m'est venue à l'esprit.

— Il avait quelque chose. Il collectionnait les petites amies. Trois au cours de l'été.

— Mais tu n'en faisais pas partie ?

— Une fois, je me suis assise près de lui pendant une veillée et j'ai appuyé ma cuisse contre la sienne, en essayant d'être sexy. Mais il l'a retirée. Il sortait avec cette Sharon, de toute façon.

— Alors, pourquoi l'as-tu mis sur la liste ?

Le docteur mâchait une Nicorette. Je n'arrive pas à l'imaginer en accro du tabac, mais elle doit fumer comme un pompier dès la fin de sa journée de travail. Elle mâchait cette gomme comme une possédée.

— Je pensais à lui tout le temps.

— C'est-à-dire ?

— Hein ?

— À quoi pensais-tu ?

— Je ne sais pas trop. Ces trucs qu'on imagine quand on aime un garçon.

Le docteur Z est restée silencieuse pendant une minute.

— Donne-moi des détails, Ruby.

— Je voulais juste sortir avec lui. Par exemple, le matin, en m'habillant, je me demandais s'il me préférerait en jeans ou en short. Ou bien j'aurais voulu qu'il remarque que je mettais de la moutarde sur mes frites, et que ça faisait de moi quelqu'un d'original.

— Tu t'imaginais en train de l'embrasser ?

— Pas vraiment[41].

— Est-ce que tu aimais parler avec lui ?

— On n'a pratiquement jamais parlé. Sauf une fois, quand il m'a dit que mon lacet était défait.

— Est-ce qu'il te faisait rire ?

— Non.

— Il avait du talent ? Il était intéressant ?

— Bof. Pas spécialement. Je ne crois pas.

— Il te faisait de l'effet ?

----

41. Non, sans blague. Sûrement parce que je suis sortie pour la première fois avec un garçon à l'âge de treize ans et neuf mois. C'est un fait gênant et tristement authentique. Le pire, c'est que le garçon en question était monstrueux et que je n'ai embrassé personne d'autre avant la fin de l'année de troisième.

— Il me rendait nerveuse. Quand j'étais en sa présence, je transpirais et je me sentais moche.

— Vraiment ? a demandé le docteur Z en se penchant en avant. Alors tu aimais un garçon qui te donnait des suées et te faisait te sentir moche ?

— Il était super sexy, ai-je expliqué. Ben Moore était le petit ami idéal.

— Mais pourquoi ?

— C'est interdit de désirer quelqu'un sans raison particulière ?

— Tu es en thérapie, Ruby, a dit le docteur Z sur un ton exaspéré. Ce serait bien que tu arrives à lier les idées les unes aux autres.

Alors je lui ai dit la vérité : j'imaginais à quel point ce devait être génial d'avoir un petit ami comme lui. J'avais le sentiment que la vie serait parfaite si je sortais avec Ben Moore. Que je me sentirais jolie, désirée, et que je trouverais mes vêtements top classe.

— Tu avais besoin du regard des autres, a-t-elle précisé.

— Je suppose.

Je n'ai pas trop apprécié sa remarque, mais je ne pouvais pas lui donner tort.

— Et quand tu étais avec Jackson, est-ce que tu ressentais cet état de perfection ?

— Ouais. Complètement.

Avec Jackson, tout s'est déroulé très simplement. Nous étions de parfaits étrangers et puis, en un clin d'œil, nous nous sommes mis à passer chaque minute l'un avec l'autre. Il a rencontré mes parents. Nous faisions nos devoirs ensemble. On s'embrassait pendant des heures. Son chien m'adorait.

Je n'avais jamais imaginé qu'il était possible de passer tout son temps avec un petit ami. Quelqu'un qui viendrait en voiture à la maison pour dîner en compagnie de mes parents le mercredi soir, qui jouerait au Scrabble avec nous, puis s'allongerait sur le canapé pour réviser son cours d'histoire pendant que je faisais mes devoirs de maths. En fait, mes relations avec Jackson étaient très différentes de l'idée que je me faisais de relations normales avec un copain.

J'avais toujours cru qu'un petit ami viendrait me prendre le samedi pour faire des trucs réservés aux amoureux : marcher sur la plage, admirer une vue spectaculaire, voir un film étranger, danser, faire des projets d'avenir. Lui, il se pointait le samedi matin et nous allions traîner. Un jour, on a acheté cinquante sucettes au drugstore du coin, puis on les toutes déballées pour faire un *blind test*.

J'avais toujours pensé qu'il était nécessaire de se faire belle pour sortir avec un petit ami. Mettre du gloss, du fard à paupières et des bas résille. Mais Jackson venait me chercher à la sortie de l'entraînement de natation, alors que je portais un T-shirt et un pantalon de jogging. On s'enfermait dans la voiture et on s'embrassait comme des sauvages. Il me caressait la poitrine à travers mon maillot de bain toujours humide et je me fichais complètement de ne pas être maquillée, d'avoir les seins collés l'un à l'autre par l'humidité, de sentir le chlore ou de porter le même T-shirt que la veille. J'étais juste super contente de le voir.

Il laissait des petits mots dans ma boîte presque tous les jours.

« Voilà une pièce d'un *cent*, m'écrivait-il. Peut-être te portera-t-elle bonheur ? À moins que tu ne préfères m'acheter un baiser. Ou l'enfoncer dans ton nez, la jeter en l'air et la rattraper, acheter un bonbec, l'offrir à un type qui n'a pas de chance, la laisser comme pourboire à un serveur désagréable, la laisser refroidir et la faire tomber dans ton T-shirt, l'avaler et t'offrir un séjour gratuit à l'hôpital, masquer le cadran de la montre de quelqu'un pour qu'il arrive en classe en retard, la donner à un cow-boy pour qu'il la flingue à cinquante mètres, la mettre dans ta chaussure pour te faire une blague. Et là, je viens juste de commencer à chercher ! Ton grand méchant maniaque du *cent*, Jackson. » Ou bien : « Je suis sorti à 14 : 00 parce que le cours de chimie a été annulé pour cause d'incendie, d'ouragan et d'impacts de foudre dans le labo. Mais non, ne t'inquiète pas. En réalité, Dimworthy m'a dit : "Clarke, tu es génial. Je crois que je t'ai enseigné tout ce que je savais sur les mystères de l'univers. Allez, va prendre du bon temps." Alors j'ai obéi. À demain. Jackson. »

J'adorais ces petits mots. Je les ai tous gardés. C'était comme quand je rêvais que je sortais avec Ben Moore. Je me trouvais belle et désirée. Quand j'étais avec Jackson, ce rêve était une réalité.

Aujourd'hui, après tout ce qui s'est passé, je serais tentée de dire que c'était trop beau pour être vrai. Mais *c'était* vrai, pendant au moins un mois. Et maintenant, quand je pense à ce que j'attends d'un petit ami ou d'un futur mari, je veux retrouver ma relation avec Jackson.

Un autre point commun entre Jackson et Ben Moore : tous deux avaient eu beaucoup de petites amies. Avant son départ pour le Japon, il était sorti avec Beth, Ann et Courtney, des filles de sa classe. Dès qu'on a été ensemble, j'ai développé une sorte de radar anti-Beth-Ann-Courtney. Je pouvais sentir leur présence dans une pièce, deviner ce qu'elles portaient, constater à quel point elles étaient jolies. C'était si bizarre que les lèvres de ces filles aient touché celles de Jackson ; qu'elles aient tenu sa grande main pleine de taches de rousseur ; qu'il les ait trouvées séduisantes et intéressantes. Avant de sortir avec lui, je trouvais ces filles très sympas. Maintenant, je les trouve creuses et allumeuses. Elles m'irritent. Elles sont rieuses et charmantes. Elles ont de jolies jambes. Elles ne portent pas de lunettes. Je voudrais les voir disparaître.

Jackson et moi sortions ensemble depuis six semaines lorsqu'un incident s'est produit. Cette mésaventure a fait l'objet d'un nouveau chapitre du *Grand Livre des garçons*. Nous l'avons intitulé *Coups de fil, e-mails et messages instantanés traumatisants :*

expériences vécues et douloureuses impliquant les nouvelles technologies de la communication[42].

J'étais chez les Clarke, un jour de semaine. Il devait être six heures du soir. Nous étions dans la chambre de Jackson. Je faisais mes devoirs. Il jouait aux jeux vidéo. Il est descendu chercher un truc à boire dans la cuisine. Le téléphone a sonné et il m'a demandé de décrocher.

---

42. Trois extraits de ce chapitre du *Grand Livre des garçons* :
1) Un jour, Kim a manqué le match de football de Sean. Elle lui a envoyé un e-mail d'explication mais il ne lui a pas répondu de tout le week-end. Elle a consulté ses messages toutes les dix minutes et n'a pas décroché le téléphone parce qu'elle ne voulait pas lui parler avant qu'il ait lu ce qu'elle lui avait écrit. Le lundi, Sean a prétendu n'avoir jamais reçu son message et qu'il devait s'être perdu. Mais, plus tard, il a affirmé ne pas avoir consulté ses mails. Ce garçon n'était même pas capable de mentir correctement !
2) Kaleb, le copain de théâtre de Cricket avec qui elle n'est sortie que six semaines (quelle délivrance !), créait toujours une ambiance mystérieuse autour de son répondeur téléphonique. Il ne le consultait jamais en sa présence, comme s'il pouvait contenir quelque appel secret laissé par une autre fille. Cricket était certaine qu'il ne contenait que des messages de son ami Mike ou d'un autre néandertalien de son espèce, et que Kaleb ignorait délibérément son répondeur pour la rendre jalouse. Ça devait être un sacré effort pour lui d'agir ainsi, vu que c'était un maniaque compulsif de la consultation de messages. Il vérifiait son portable toutes les heures.
3) Dans l'intervalle Kaleb-Pete, Cricket s'est fait raccompagner par Billy Alexander après un match de basket. Elle était tout excitée parce qu'ils avaient longuement parlé dans la voiture, sur le parking, devant chez elle. Elle avait cru qu'il allait l'embrasser, ou lui demander de sortir avec elle, ou un truc dans le genre. Mais son téléphone a sonné et il a répété « ouais, mec » une centaine de fois dans l'appareil, puis il a fait un signe de la main à Cricket, comme pour lui dire « à plus tard ». Alors elle est sortie et elle est rentrée chez elle. Et il ne s'est rien passé de plus.

— Résidence Clarke, j'écoute, ai-je dit.

— Hum, Jackson est là ?

C'était la voix d'une fille.

— Il est en bas, ai-je répondu, en me demandant de qui il pouvait bien s'agir. Tu ne quittes pas ?

— Euh, ouais, a dit la fille.

Jackson est revenu, et je lui ai tendu le téléphone. Il s'est assis sur le sol en me tournant le dos.

— Eh, comment ça va ? a-t-il demandé.

Une pause.

— Je ne peux pas te parler, je suis avec quelqu'un.

Pourquoi n'avait-il pas dit « Je suis avec Ruby » ? Ou « Je suis avec ma copine » ? Oui, c'est ça qu'il aurait dû dire.

— S'il te plaît, ne le prends pas comme ça, a-t-il chuchoté. Non, non, tu n'y es pour rien.

Prendre quoi ?

— Ce n'est pas à cause de toi, je te l'ai déjà dit. Écoute, ce n'est vraiment pas le moment. Je peux te rappeler plus tard ?... Oui, j'ai toujours ton numéro.

Puis il a raccroché, attrapé le joystick de la Xbox et continué à dégommer des extraterrestres.

Je me suis replongée dans mon devoir de maths, mais je n'arrivais pas à me concentrer. Qui pouvait bien être cette fille ?

De quoi parlaient-ils ?

Pourquoi ne me disait-il rien ?

C'est vrai, ce n'étaient pas mes oignons. Il avait bien le droit de recevoir les appels de toutes les filles de l'univers.

Ou pas.

Après tout, j'étais sa copine. N'étais-je pas en droit de savoir avec quelles filles il entretenait des discussions intimes, des conversations qui, à l'évidence, concernaient des sentiments importants ?

— C'était qui ? ai-je demandé, en essayant d'avoir l'air détaché.

— Oh, à l'instant ? Heidi Sussman.

Heidi, de la bande de Katarina.

— Qu'est-ce qu'elle voulait ?

— Elle est énervée à cause d'un truc. Je lui ai dit que je la rappellerais.

— Énervée par quoi ?

J'espérais avoir l'air préoccupée par les soucis d'Heidi, pas possédée par une jalousie morbide.

— Oh, elle est toujours énervée, a dit Jackson sans cesser de liquider des *aliens*. Qui sait ce qu'elle est allée chercher, maintenant ?

Comment ça, toujours énervée ? Que se passait-il entre Jackson et Heidi Sussman ? Était-il vraiment hypnotisé par son jeu vidéo ou essayait-il délibérément de me cacher des choses ?

Alors j'ai essayé de m'intéresser aux extraterrestres agonisants.

J'ai essayé de me concentrer sur mes maths.

J'ai essayé de trouver un autre sujet de conversation. Un film, quelque chose comme ça.

— Pourquoi elle t'appelle, *toi* ? ai-je fini par demander.

— On est sortis ensemble, a-t-il expliqué. Tu le sais bien.

Sale temps pour les *aliens*.

— Non, je ne savais pas.

Je n'arrivais pas à croire que je m'étais trouvée assise en cours à côté d'Heidi pendant des semaines, joué une scène de théâtre avec elle lors d'une audition, que je lui avais dit « salut » tous les matins dans les couloirs, tout ça sans savoir qu'elle était sortie avec Jackson.

Il s'est tourné pour me regarder. Je suis absolument certaine qu'il savait que je n'étais pas au courant, et qu'il avait essayé de me le cacher le plus longtemps possible.

— C'était cet été. On s'est rencontrés à un stage de tennis. On a rompu juste avant la rentrée.

— Combien de temps avant ?

— Je ne sais plus. Deux ou trois jours. La veille, je crois.

— La semaine où on est sortis ensemble ?

— Ouais, je suppose. Elle continue à vouloir en parler.

— Qu'est-ce qu'elle dit ?

— Je ne sais pas.

Jackson a passé un bras autour de mon cou.

— J'aimerais bien qu'elle me laisse tranquille. J'ai mieux à faire.

Il m'a caressé gentiment la nuque.

— Je ne vais pas la rappeler, si c'est ce qui t'inquiète.

Je ne pouvais pas blâmer Heidi de chercher à obtenir des explications. Franchement, Jackson avait à peine repris son souffle avant de la remplacer ! Tout à coup, je me suis sentie sale, comme si j'étais impliquée sans le savoir dans un crime horrible.

— Tu devrais peut-être lui parler, ai-je dit. Ce serait plus élégant.

— Ah, tu penses ?

— Oui. Il ne devrait pas y avoir de malentendus entre vous.

— D'accord. Je l'appellerai plus tard.

Je pensais vraiment ce que j'avais dit. Si j'étais Heidi, je voudrais qu'on en parle. Ça me rendrait dingue de l'entendre répéter qu'il allait m'appeler et me laissait en plan. C'était vraiment grossier. Mais, en même temps, quand Jackson m'a dit qu'il allait prendre un café au *B&O* avec elle le vendredi, après les cours, et qu'il ne m'accompagnerait pas à la piscine, je me suis sentie complètement effondrée. Il allait passer du temps avec son ex ! Cette fille qu'il avait embrassée, qu'il avait trouvée mignonne, originale et séduisante il y a à peine six semaines. Je me suis sentie nerveuse pendant tout l'entraînement, et j'ai nagé comme une clé à molette. Mon père est venu me chercher et je lui ai demandé de m'emmener au cinéma, histoire de ne pas penser à Jackson et à Heidi, ni de céder à la tentation de l'appeler sur son téléphone pendant leur rencontre. Mais – c'est tout lui, ça ! – mon père tenait à profiter du temps qu'il me consacrait pour discuter avec moi…

— Tu ne préfères pas qu'on aille au *B&O* ? Tu aimes bien cet endroit, et je voudrais le connaître.

— Je n'ai pas faim.

— Ah bon ? En général, tu meurs de faim après l'entraînement.

— C'est vrai, mais ils ne servent que des gâteaux au *B&O*.

— Eh bien, profites-en. Je ne dirai rien à ta mère. En plus, il paraît que leur cappuccino est à mourir. Il faut absolument que je goûte ça.

Il a quitté l'autoroute par la sortie du *B&O*. Je ne savais pas quoi dire. Je ne me voyais pas lui expliquer la situation. Mais si je me pointais dans le café alors que Jackson et Heidi étaient là, j'allais passer pour une espionne. Et même si c'était exactement ce que je rêvais de faire, je savais qu'il ne fallait pas, que j'étais censée faire confiance à Jackson et ne pas faire une fixette sur Heidi. Il fallait que je reste cool. Et puis, c'est moi qui avais eu l'idée de cette rencontre, au départ. Faire preuve de jalousie serait de la folie pure.

Mon père s'est garé et nous sommes entrés dans le *B&O*. Il était tout content. Il me parlait des endroits où il traînait quand il était jeune, du mérite des différentes moutures de café et de l'importance de la crème dans le cappuccino. J'ai balayé la salle du regard, le cœur battant.

Mais Jackson et Heidi n'étaient pas là.

Des types au look artiste sirotaient des expressos à une table de six. Kim était assise au comptoir, occupée à rédiger un devoir sur son ordinateur portable. Sean était derrière la caisse, vêtu d'un tablier noir, et il la fixait de ses grands yeux lunaires.

Où étaient Jackson et Heidi ? Avaient-ils aperçu Kim et décidé d'aller ailleurs pour avoir plus d'intimité ?

Ou avaient-ils réglé leur problème en quelques mots et s'en étaient allés chacun de leur côté ?

Ou étaient-ils retombés follement amoureux l'un de l'autre ? Étaient-ils en train de s'embrasser voracement dans la Dodge Dart Swinger, en collant de la buée sur les vitres[43] ?

Mon père a tapoté amicalement le dos de Kim puis a harcelé Sean de questions concernant les méthodes professionnelles de préparation de la crème à cappuccino.

— Où est Jackson ? ai-je chuchoté à l'oreille de Kim. Combien de temps sont-ils restés ?

Elle connaissait toute la situation, bien entendu.

— Il n'est *pas venu*, a répondu Kim. Sean est là depuis trois heures.

— Quoi ?

J'étais persuadée qu'ils s'étaient éclipsés pour faire des trucs en privé, comme si je n'avais jamais existé. Je

-----

43. Vous me trouvez parano ? Quand j'ai raconté tout ça au docteur Z, j'ai essayé de prendre les choses à la rigolade. J'ai dit : « Oui, je sais que c'est de la pure paranoïa, mais ces idées ont traversé mon esprit. » Le docteur Z a répondu : « Ça ne me paraît pas si invraisemblable, Ruby. Je crois que ta confiance en Jackson a été ébranlée parce qu'il t'a caché sa relation passée avec Heidi. » Et même si elle n'avait pas pris de gants pour dire ça et que je trouvais agaçant qu'elle me jette mes propres sentiments au visage, j'ai apprécié qu'elle n'essaie pas de me rassurer ni prétende que mes soupçons n'étaient que des fantasmes.

me demandais même s'il ne m'avait pas menti quant à ses intentions à l'égard d'Heidi.[44]

Mon père rayonnait de bonheur. Il était si content de me consacrer du temps, de boire des cappuccinos avec mes amis, en chair et en os. Il a commandé un gâteau. Il a feuilleté le calendrier des concerts de rock dans un journal gratuit et s'est imaginé qu'il allait acheter des billets pour l'un d'eux. J'ai pris sur moi et j'ai fait semblant d'être contente. C'est un chouette père, vraiment. Il ne voulait que mon bien et souhaitait avant tout me faire plaisir. Comment pourrais-je le blâmer de ne pas avoir remarqué que j'étais à moitié folle d'angoisse ?[45]

....

44. Soit ces soupçons tiennent de la paranoïa et de la démence (*voir note précédente*), ce qui fait de moi une nana jalouse et hyper possessive, soit ils sont totalement justifiés par une situation tendue et la possibilité bien concrète d'une trahison. Soit Jackson avait droit à une vie privée et ce n'était pas mon problème, soit, en tant que petite amie, je pouvais exiger légitimement des explications sur ses rapports avec d'autres filles. Plusieurs mois de thérapie ne m'ont pas permis de répondre à cette question.

45. Vous savez ce qu'a dit le docteur Z quand je lui ai parlé de mon père ?
— Tu *peux* lui en vouloir, Ruby. N'hésite pas à libérer ta colère.
— Je n'étais pas en colère.
— On dirait qu'il n'a pas capté les signaux que tu lui envoyais. N'aurais-tu pas aimé qu'il soit plus réceptif ?
— Peut-être qu'il avait tout compris mais qu'il ne voulait pas s'immiscer dans mes affaires.
Le docteur Z a mâché sa Nicorette.
— Oui, mais toi, tu aurais aimé qu'il s'occupe de tes affaires. Ce n'est pas ce que tu viens de dire ?
— Non. Je ne veux pas parler de ces choses-là avec mon père.
— Tu es sûre ?
J'ai vraiment réfléchi à la question. ☛

Jackson m'a appelée quand papa et moi sommes rentrés à la maison. Il voulait venir me voir. On s'est assis sur le pont de la maison, malgré le froid, pour avoir un peu d'intimité.

Heidi et lui étaient allés jouer au tennis, en souvenir du bon vieux temps. Ils s'entendaient tellement bien. C'était quelque chose qu'ils avaient l'habitude de faire. Puis ils avaient discuté au bar du country club. Heidi voulait qu'ils se remettent ensemble, selon Jackson. Elle ne comprenait pas pourquoi leur rupture avait été si soudaine. Mais lui ne voulait pas. Heidi était drôle et sublimement belle et tout et tout, mais elle n'était pas si intéressante que ça.

— Je lui ai dit que j'étais avec toi, a-t-il dit en prenant ma main. Ruby, s'il te plaît, ne sois pas en colère contre moi. Je ne me suis jamais senti aussi bien qu'avec toi.

— Moi non plus, ai-je dit.

— Super, a-t-il dit en se penchant vers moi. Je n'en étais pas sûr.

....

— Non... je veux dire, si... je veux dire, oui, c'est ce que je voulais. Enfin, je pense.

— Est-ce que tu aurais pu faire quelque chose pour l'y encourager? Oh! ce qu'elle peut me mettre mal à l'aise, des fois.

— Oui, m'dame, ai-je dit sur un ton sarcastique. J'aurais pu lui expliquer ce que je ressentais. Ça va, j'ai bon, là? C'est ce que vous vouliez que je dise?

Elle est restée parfaitement calme.

— Vous, les psys, vous êtes tous pareils, ai-je continué. À vous écouter, il faudrait parler de ses sentiments à tout le monde. C'est la solution à tous les problèmes. Bla bla bla.

— As-tu déjà eu un autre psy, Ruby?

Nous sommes restés silencieuses jusqu'à la fin de la séance.

Nous nous sommes embrassés dans le vent glacé pendant de longues minutes.

En vérité, rien n'a plus été comme avant à la suite de cet incident. Enfin, pas exactement. Revenons en arrière et analysons les propos de Jackson concernant l'après-midi passé en compagnie d'Heidi. Il a dit qu'il ne s'était jamais senti aussi bien qu'avec moi. Bien. Mais il a aussi dit qu'Heidi était drôle et sublimement belle, et qu'ils avaient joué au tennis en souvenir du bon vieux temps, parce qu'ils étaient si proches, bla bla bla.

Maintenant, un garçon qui essaierait de rassurer sa *nouvelle* petite amie quant à ses sentiments à l'égard de son *ex* petite amie parsèmerait-il sa déclaration d'amour de réflexions nostalgiques sur le tennis et la beauté éblouissante de la fille en question ?

Non.

Un garçon ne ferait ça que s'il avait encore en tête la beauté de cette fille et le plaisir qu'il éprouvait à jouer au tennis avec elle.

Je ne pense pas qu'il se soit passé quoi que ce soit avec Heidi, ce jour-là, ou que Jackson m'ait menti sur ses sentiments. Non, j'ai simplement réalisé qu'il avait eu des tas d'histoires avant moi, qu'il ne pouvait pas s'empêcher de penser à ces petites amies et qu'elles occupaient son esprit même lorsqu'il me regardait dans les yeux.

Quelque chose s'était brisé en moi.

Donc, mon radar anti-Heidi a pris le dessus sur mon radar anti-Beth-Ann-Courtney.

Et maintenant, j'ai mon radar anti-Kim.

Jusqu'à la fin de l'année scolaire, je n'ai pas pu poser un pied dans l'agora sans sentir des ondes maléfiques m'assaillir de toutes parts. Gulp ! Kim dans l'escalier ! Heidi en cours de français ! Triple menace Beth-Ann-Courtney dans la bibliothèque, portant des vêtements pastel et des coiffures sophistiquées ! Le mal était partout, et le simple fait d'écrire ces mots démontre à quel point je suis fêlée. Heureusement que ma mère m'a envoyée voir le docteur Z. À l'évidence, je suis en train de toucher le fond, malgré le temps qui s'est écoulé depuis ces incidents.

Au fond de moi-même, je sais que ce sont toutes de chouettes filles. Certaines d'entre elles ont même été mes amies. Et je pense fermement que les femmes ne devraient pas être aussi cruelles et mesquines entre elles à propos des hommes. Comment parviendrons-nous à diriger des sociétés et à gouverner des nations en ne nous préoccupant que de la taille des seins de notre voisine dans son pull rose ?

En cours d'histoire, Mr Wallace nous a parlé de ce genre de problèmes, lors d'un exposé sur le mouvement féministe. J'étais tellement d'accord avec sa théorie « des antagonismes autodestructeurs qui divisent les minorités discriminées ». Traduction : si les gens veulent pouvoir se battre pour leurs droits et apporter de réels changements, ils doivent se serrer les coudes et ne pas se chicaner à propos de choses sans importance.

Mon problème, c'est que j'ai beau en être cent pour cent persuadée – filles, solidarité, Gloria Steinem[46], etc., etc. –, mon comportement reste le même.

Parce que je suis jalouse. Et mesquine sur pas mal de points.

Je crois que ce qui s'est passé entre Jackson et moi, c'est que je me suis sentie en insécurité, et c'est pour ça que je suis devenue jalouse de Beth-Ann-Courtney-Heidi. Ou peut-être ai-je profité de cette tension pour libérer les pulsions négatives qui sommeillaient en moi, et c'est ma jalousie pathologique qui est la cause de ce qui s'est passé. Je ne suis pas sûre.

Je sais juste que j'étais jalouse, et que je le suis toujours. Même maintenant que Jackson et moi sommes séparés.

Je n'aime pas ce que je ressens. J'aimerais pouvoir éteindre mes radars avant d'entrer dans la cafétéria. Je voudrais juste me préparer une salade au raisin et avaler ce foutu déjeuner sans me soucier des autres. Je ne suis pas sûre que j'en serai de nouveau capable. En ce moment, je m'estime heureuse de pouvoir déjeuner sans me taper une de ces maudites crises d'angoisse.

---

46. Gloria Steinem est une célèbre féministe. Sa citation la plus géniale : « Une femme sans homme, c'est comme un poisson sans bicyclette. »

6. **Tommy** (mais notre amour était impossible)

À la rentrée de cinquième, Tommy Hazard était un Californien blond qui surfait comme un dieu pour son âge. Il portait des shorts de couleur flashy. Lorsqu'il souriait, il dévoilait des dents légèrement tordues. Il s'exprimait toujours à voix basse. Quand il me parlait, j'avais l'impression d'être la seule personne du monde à pouvoir l'entendre. Il possédait un vélo bleu à dix vitesses, et il m'emmenait en promenade sur son guidon. Il sentait un peu le chlore à cause de la piscine de ses parents et, quand il faisait beau, on passait nos après-midi les pieds dans l'eau, main dans la main, à regarder défiler les nuages.

En quatrième, Tommy Hazard était coiffé à l'iroquoise. Il roulait en skateboard. Il jouait de la guitare électrique et traînait dans une boîte punk-rock réservée aux mineurs. Il avait toujours un roman dans sa poche arrière et il achetait ses fringues chez un fripier, comme moi. Il avait l'air dur, mais en fait il était adorable et sensible.

Lorsque je suis entrée en troisième, Tommy Hazard était déjà assez âgé pour conduire. Il roulait sur un vieux scooter Vespa. Son casque était décoré façon peau de zèbre. Il m'emmenait en balade derrière lui, et je passais mes bras autour de sa taille. Ses cheveux étaient bruns et un peu décoiffés. Il portait un costume gris et une cravate étroite. Il avait une chambre noire dans le garage de ses parents. Quand il était seul, il y développait les plus belles photos noir et blanc que j'aie jamais vues. Il prenait des tas de portraits de moi, en m'expliquant qu'il ne voulait pas perdre les moments que nous passions ensemble.

Et puis j'ai rencontré Jackson, et Tommy Hazard a tout simplement disparu.

Kim a encore le sien, j'en suis certaine. Son Tommy restait toujours le même, alors que le mien changeait sans arrêt.

Nous avons inventé Tommy Hazard en cinquième, lors d'une randonnée – ce rituel qui consiste, pour une poignée de profs épuisés, à essayer de faire progresser un troupeau de filles de douze ans jusqu'au sommet d'une montagne, et leur faire apprécier cette épreuve, alors qu'elles échangent des ragots et rêvent de traîner au centre commercial.

À mi-chemin de l'objectif, nous avions épuisé tous nos sujets de conversation.

Nous avons marché en silence pendant près d'un kilomètre. Puis nous avons inventé Tommy Hazard. Le garçon idéal. Le garçon qui ne fait pas le crétin en cours. Qui ne lance jamais de boulettes en papier. Qui ne bouscule personne sur le terrain de jeu. Qui a une peau saine et de la répartie. Qui ne sabote pas les cours de gym et les spectacles de fin d'année. Qui connaît toutes les réponses en classe mais laisse participer les autres. Qui est beau. Qui est cool. Qui peut avoir toutes les filles qu'il veut, mais qui ne veut que moi. Ou Kim.

Tommy est devenu notre petit ami dès la cinquième, et nous le comparions en permanence aux autres garçons. Kim est sortie avec Kyle pendant deux semaines en quatrième. Lorsqu'elle a rompu, elle a déclaré : « Il était pas mal. Mais il faut voir les choses en face. Il n'arrivait pas à la cheville de Tommy Hazard. » Parfois, lorsque je remarquais un garçon mignon au cinéma, je disais : « Kim, regarde ! Je crois que c'est Tommy Hazard ! »

Durant les longues périodes sans petit ami, et celles au cours desquelles nous ne trouvions même pas un garçon digne qu'on s'intéresse à lui, nous sortions avec Tommy. Il m'emmenait voir des vieux films au *Variety*. Il faisait du canoë avec Kim. Il mettait son bras autour de mon cou au cinéma. Il s'arrêtait de pagayer et embrassait Kim, comme ça, en plein milieu du lac.

Tommy avait des qualités fondamentales, établies par nous deux :

• Il ne nous faisait jamais honte.

• Il avait des trucs plus intéressants à faire que de regarder la télé après les cours.

• Il embrassait divinement.

• Il nous tenait la main en public.

• Il était super sûr de lui, mais il perdait ses moyens dès qu'il nous voyait.

Ensuite, chacune de nous l'a personnalisé. Mon Tommy changeait sans arrêt : surfer, skate punk ou mods, et ce ne sont là que mes trois préférés. C'était tantôt un athlète brillant, tantôt un poète silencieux. Un jour, le garçon connu de tous, l'autre, celui que personne n'avait jamais remarqué. Parfois, il avait un accent étranger hyper craquant. Il jouait du piano. Il était musclé. Ou mince. Il était blanc, noir, asiatique, peu importe.

Le Tommy Hazard de Kim était toujours identique. Elle l'a peaufiné au cours des années, ajoutant et retirant des petits détails par-ci par-là, mais, fondamentalement, il restait immuable. Le Tommy Hazard à la Kim avait beaucoup voyagé avec sa famille ; c'était un gastronome audacieux (elle aime la nourriture épicée et méprise les gens qui ne se nourrissent que de pâtes et de beurre de cacahuète) ; il était skippeur (Kim adore la voile) ; cinéphile ; étudiant brillant. Il était grand, plus vieux qu'elle et très populaire.

— Il est quelque part, sur cette terre, m'a dit Kim, au cours de l'été qui a suivi l'année de troisième.

On se promenait dans le marché de plein air, parmi les paniers tressés, les boucles d'oreilles en perles et les casse-tête en bois artisanaux. Nous parlions de Tommy Hazard depuis une demi-heure.

— Je le pense vraiment, a insisté Kim.

— Comment ça, quelque part ?

— Je ne parle pas de Tommy Hazard tel que je l'imagine. Je parle de quelqu'un qui me corresponde, et à qui je corresponde.

— L'Amour, avec un grand A.

— Oui, voilà.

Elle a palpé un coussin en soie.

— Mais comme si c'était le destin. Ou la fatalité. Je sais que ça a l'air dingue, mais j'ai le sentiment que si je ne cesse pas de penser à lui, je le rencontrerai un jour.

— Comment tu sauras que c'est lui ? Le coup de foudre ?

— Peut-être. Ou les sentiments pourraient grandir en nous peu à peu. Ma mère dit qu'un jour, d'un coup, elle a su que mon père était l'homme de sa vie.

— Vraiment ? Et comment elle l'a su ?

— Une illumination. Ils se fréquentaient depuis neuf mois. Mais ils se sont mariés trois jours plus tard. Une fois qu'elle a été certaine, elle ne s'est plus posé de questions.

Je n'arrivais pas à imaginer que Mr et Mrs Yamamoto aient pu faire un truc aussi romantique.[47]

— Je ne sais pas s'il existe *un* homme de ma vie, ai-je dit. Je crois que je préfère la variété.

En seconde, ce pauvre Sean était toujours en compétition avec Tommy Hazard. Kim aimait bien Sean, vraiment, mais il mangeait de la nourriture fade (sans

---

47. Mae Yamamoto est neurochirurgienne. Elle parle à toute vitesse et fait toujours six choses en même temps. Elle coupe des légumes, lave le chat dans l'évier, commente un résultat de biopsie au téléphone, nettoie le frigo, se change et hurle sur Kim parce qu'elle a abusé de sa carte de crédit. Tout ça simultanément. Il faut le voir pour le croire.

même ajouter du poivre) et n'avait jamais quitté la région de Seattle. Ce n'était pas l'homme « de sa vie ». Juste l'homme « d'un moment ».

En tout cas, après avoir raconté à Kim mon histoire avec Sean en CE1 — les doux regards de crevette, les « *chapeau de paille, deux amoureux* », et tout ça —, j'ai vraiment fait un effort pour m'adresser à lui comme à une personne normale. Le plus bizarre, après toutes ces années passées à l'éviter, c'était de parler à un garçon dont je n'ignorais rien : s'il avait des poils sur le torse (non, mais un peu sur le ventre), son odeur (savon) et à quoi ressemblait sa chambre (il avait toujours un panda en peluche posé sur son lit). Mes premières tentatives se sont soldées par des échecs.

— Quoi de neuf, Sean ?

— Pas grand-chose ? Et toi, comment tu vas ?

— Ça va.

— Super.

Des trucs comme ça.

À Tate, chaque élève doit participer à des initiatives caritatives. Fin octobre, un samedi après-midi, les seconde ont été chargés d'organiser une fête d'Halloween costumée pour les enfants, à la YMCA locale. J'étais déguisée en chat, en minijupe noire, bas résille, veste en fausse fourrure et serre-tête à oreilles. Cricket s'était déguisée en criquet, avec des antennes et un justaucorps vert. Nora s'était fait la tête de Méduse. Kim était une danseuse de ballet en tutu rose.

La plupart des garçons étaient habillés en pompiers, cow-boys et autres personnages virils, mais Sean était déguisé en chat noir, comme moi. En tout cas, c'est ce que j'ai cru en le voyant. Il portait un col roulé noir, un jean noir, une longue queue et des gants pourvus de griffes. Son visage était barbouillé de noir et il était coiffé d'une cagoule à oreilles, probablement récupérée sur son costume de Batman de l'année précédente. C'était exactement le costume que Tommy Hazard n'aurait jamais porté.

Mr Wallace s'occupait de l'organisation. Il avait abdiqué un peu de sa dignité et s'était déguisé en Albert Einstein. Pour être clair, il avait troqué ses treillis pour un costume, s'était teint les cheveux en gris et portait dans le dos une pancarte où était inscrit « $E = mc^2$ », au cas où quelqu'un n'aurait pas reconnu son déguisement (d'ailleurs, c'était le cas de tous ceux qui n'avaient pas lu la pancarte). « Vous, les chatons, a-t-il dit lorsque nous sommes arrivés à la YMCA, vous vous occuperez du stand de maquillage. »

Sean et moi avons pris place à une table couverte de produits de maquillage empruntés dans le stock du cours de théâtre.

— Il m'a traité de chaton, a dit Sean. Je n'ai pas l'air d'une panthère ? Regarde mes griffes.

Il a levé les mains en l'air.

— Il va falloir que tu les enlèves pour maquiller les enfants, ai-je fait remarquer.

— Zut. C'est foutu, je vais vraiment ressembler à un chaton.

— Quel est le problème ? Regarde-moi, il n'y a pas de honte à être déguisé en chat.

— Je n'ai rien contre les chats, a précisé Sean en souriant. C'est juste que je n'en suis pas un. Je suis une panthère.

— Je vais être franche avec toi. Tu as tout du chaton, de mon point de vue.

— Eh, tu savais qu'une panthère n'était en réalité qu'un léopard noir ? Si tu regardes attentivement, tu peux même voir ses taches sous son pelage.

— C'est moi qui t'ai appris ça. Je l'avais lu dans un bouquin sur les félins.

— Non, je l'ai appris sur *Discovery Channel*.

— Sean ! Je t'ai appris ça en CE1. Tu ne te rappelles pas ? La bibliothèque ?

Il a immédiatement changé de sujet.

— Comment pourrais-je ressembler davantage à une panthère ? a-t-il demandé en triant les produits de maquillage sur la table. Tu crois que je devrais me rajouter des moustaches ?

— Ton visage est déjà tout noir. On ne les verra pas.

Kim et Nora étaient à quelques mètres de nous, au stand de sculpture sur citrouille.

— Et si je me mettais des moustaches rouges ? Ça, ça serait terrifiant.

Il a enlevé ses gants et s'est emparé d'un tube de rouge à lèvres.

— Où est le miroir ?

Je le lui ai tendu. Il a commencé à se dessiner des gros traits maladroits sur le visage. Il s'y prenait comme un manche. C'était un désastre.

— Tu ressembles à Freddy Krueger[48], ai-je dit.

Il s'est marré.

— Je devrais peut-être laisser tomber et me déguiser en type habillé en noir.

— Attends, je vais t'aider.

J'ai pris un Kleenex et j'ai nettoyé ses joues avec du démaquillant. Puis je l'ai tartiné de noir et j'ai utilisé une petite brosse pour tracer de fines moustaches.

— Beaucoup mieux. Voilà, ça c'est ce que j'appelle une panthère.

Alors, j'ai remarqué que Kim nous regardait fixement depuis le stand des citrouilles. Elle a plissé les yeux, tendu l'index vers Sean et remué les lèvres pour articuler : « Il est à moi. »

J'ai posé la brosse et commencé à ranger les produits de maquillage.

Sean et moi avons à peine échangé quelques mots pendant le reste de la journée. La mesure était nécessaire. Mais c'était peine perdue. Dans le bus qui nous raccompagnait au lycée, Kim et Sean se sont disputés à voix basse, sur la banquette située derrière Nora et moi.

— Merci beaucoup, lui a-t-elle lancé, tandis que le bus quittait le parking.

— Quoi ?

— Ne fais pas l'innocent.

— Quoi ?

---

48. Freddy Krueger est le tueur en série complètement dément du film *Les Griffes de la nuit*. Il a des lames au bout des doigts et une horrible tête couverte de cicatrices. Il tue des gens en hantant leurs cauchemars. Du coup, tout le monde a la trouille de s'endormir.

— Sean, ne me prends pas pour une imbécile.

— Quoi ?

— Si tu ne comprends pas, tu devrais réfléchir une seconde.

— Kim, s'il te plaît. Dis-moi ce qui se passe.

— Tu m'as ignorée tout l'après-midi.

— Mais pas du tout !

— Vu que tu n'es pas venu dîner chez mes parents hier soir, j'espérais que tu pourrais au moins supporter ma présence aujourd'hui.

— Hier, je travaillais. Je n'avais pas le choix.

— Tu aurais pu te faire remplacer pour la soirée.

Sean a soupiré.

— Kim, je travaille parce que j'ai besoin d'argent.[49]

— Très bien. Continue à m'ignorer, alors. Ignore-moi pour toujours.

Au moment où nous sommes descendus du bus, elle a vidé son sac. Quand Kim va droit au but et balance ce qu'elle a sur le cœur, mieux vaut se tenir à l'écart. Elle lui a lancé un torrent d'insultes en anglais et en japonais, puis lui a dit qu'elle ne voulait plus jamais le voir. Impossible de la raisonner. Lorsqu'elle se met en tête qu'elle a raison et l'autre tort, personne ne peut la faire changer d'avis. Tout le monde est resté sur le parking pour assister à la scène, en faisant semblant de ne pas s'y intéresser. C'était un vrai psychodrame.

....

49. Moi non plus, je n'avais jamais réalisé que Sean travaillait pour gagner de l'argent, tout en suivant sa scolarité. Je voyais bien qu'il travaillait chez *B&O*, mais je n'avais pas pris conscience que ce job lui était indispensable.

Finalement, Kim a couru s'enfermer dans les toilettes. Cricket, Nora et moi avons essayé de l'en faire sortir, mais elle nous a ordonné de la laisser tranquille. Il valait mieux obéir.

Le biscuit craquant est resté dans sa niche plusieurs jours après cet incident. Kim m'a appelée le soir même pour m'apporter des précisions. Sean avait été invité à dîner chez ses parents plusieurs semaines auparavant. Il avait promis de venir. Elle avait dû se farcir tous les amis nuls de sa mère, qui avaient passé la soirée à lui demander où s'était évaporé son mystérieux fiancé, ah! ah! ah! Le lendemain, il avait déjeuné avec ses copains de foot. Après tout, s'il lui prêtait aussi peu d'attention et ne faisait jamais rien avec elle, il n'avait aucune raison de rester son petit ami. Et, du reste, il pouvait aller se faire foutre.

Je pensais qu'elle avait tort, mais je n'ai rien dit. C'était ma meilleure amie. Et trois jours plus tard, je les ai vus se bécoter dans la bibliothèque. Tout était oublié.

Lorsque je suis rentrée à la maison cet après-midi-là, mes parents se disputaient. Ils se préparaient pour une soirée costumée, et ma mère insistait pour qu'ils se déguisent en taco géant. Elle avait passé la journée à fabriquer un gigantesque costume de taco, avec de la mousse, du papier crépon et de la ficelle. Elle voulait faire la garniture, et que mon père fasse la crêpe.

— Elaine, a-t-il protesté, je ne peux pas conduire dans un taco.

— On va chez Juana, c'est tout près, a répliqué ma mère. Tu as dit que tu me laisserais choisir les costumes, que tu t'en fichais.

— J'ignorais que j'allais être transformé en *taco*.

— Ça m'a pris toute la journée. Si tu avais arrêté de travailler deux minutes, tu aurais su de quoi il s'agissait.

— Je vais avoir trop chaud là-dedans. Et je ne pourrai même pas m'asseoir.

— Tu n'as qu'à mettre le costume dans le coffre de la voiture. Tu te changeras sur le parking.

— Je n'arrive même pas à bouger.

Mon père avait revêtu sa crêpe en mousse géante. Ses bras sortaient à l'horizontale de chaque côté.

— Comment vais-je manger ?

— Je te nourrirai, a dit ma mère.

— Très drôle.

— C'est romantique, Kevin. C'est théâtral. Tu ne peux pas faire un petit effort, pour une fois ?

— Bon sang, c'est un taco. Ça n'a rien de romantique.

— Nous serons les deux parties d'un tout. Et moi, je me nicherai au creux de toi.

— Ne peut-on pas plutôt porter les chapeaux idiots de l'année dernière ?

— C'est tellement banal ! a hurlé ma mère. Pourquoi es-tu toujours aussi conservateur ? Le théâtre, c'est ma vie ! Je suis créative ! Je ne peux pas aller à cette soirée avec un simple chapeau. C'est Halloween. Toutes mes amies seront là. Ruby, il est génial ce costume de taco, non ?

— Je préfère rester en dehors de tout ça, ai-je dit sans détourner mes yeux de la télé.

— Kevin, tu entraves ma créativité !

— Non, je refuse simplement de me ridiculiser en public et de passer la soirée à suer alors que j'ai travaillé toute la journée sur le pont.

— Eh bien, tu n'aurais pas dû passer toute la journée sur le pont, a dit ma mère en boudant.

— Et j'étais censé faire quoi ? a hurlé mon père. On annonce du gel d'un jour à l'autre !

— Tu savais qu'on sortait ce soir.

— Je suis prêt à sortir. Je suis même *content* de sortir. Mais pas dans un taco géant !

Bla bla bla. Ça a duré comme ça au moins une heure.

Et puis mon père a gagné.

Furieuse, ma mère est allée prendre une douche. Puis ils ont déchiré le taco géant et ont placé ses débris dans deux sacs poubelles noirs. Ils sont allés à la fête coiffés de leurs chapeaux débiles.

J'ai appelé Jackson, et il est venu à la maison. On s'est embrassés pendant des heures. Je portais toujours mon costume de chaton.

7. **Charlie** (mais tout était dans sa tête)

L'affaire Charlie Williams est importante, car c'est une histoire de cadeaux. En tout cas, c'est ce que je pensais lorsque j'ai commencé à la raconter au docteur Z.

Je ne comprends pas pourquoi les garçons sont incapables de faire des cadeaux comme les gens normaux.[50] En août dernier, pour mon anniversaire, Kim m'a offert une super veste rouge qui me va comme un gant. Pour la Saint-Valentin, nous avons acheté un exemplaire de *Playgirl*[51] à Nora, parce qu'elle n'avait

----

50. Je sais, c'est de la généralisation grossière et sexiste. Mr Wallace ne me pardonnerait pas de tenir de tels propos. Mais c'est plus fort que moi, je continue à m'interroger.

51. L'équivalent féminin du magazine Playboy (NdT). C'est Kim qui s'est chargée de l'acheter. Elle a une méthode secrète pour faire l'acquisition de telles publications. Elle prend toujours des serviettes hygiéniques en même temps. Elle imagine que le caissier sera trop occupé à éviter son regard à cause des serviettes et qu'il ne remarquera pas les produits sensibles – cigarettes, bière, Playgirl – perdus parmi les autres. Elle s'arrange habilement pour faire croire qu'elle n'est pas entrée dans le magasin dans l'unique but d'y acheter une revue pleine de mecs tout nus.

pas d'amoureux. À Noël dernier, j'ai offert à ma mère un livre écrit par un acteur de théâtre nommé Spalding Grey. Elle l'a lu en quelques jours. Nora a préparé des muffins pour célébrer ma victoire au cent mètres nage libre (en général, j'arrive deuxième ou troisième – ou je sombre dès les premiers mètres). Il y en avait cinq, chacun décoré d'une lettre en sucre glace : B-R-A-V-O.

Ça, ce sont des chouettes cadeaux. Attentionnés. Certains célèbrent des occasions spéciales, d'autres sont offerts sans raison particulière. C'est normal, sans sous-entendu, et tout le monde est content.

Mais si un garçon intervient dans l'histoire, tout devient complètement tordu. Jackson et moi avions un grave problème de cadeaux. C'est le moins qu'on puisse dire.

Après l'épisode des nounours au chocolat de Hutch, le premier cadeau que j'ai reçu d'un garçon était un magnifique collier de perles offert par un certain Charlie Williams, qui a changé d'école depuis cette mésaventure.

C'était un garçon maladroit, avec une moustache naissante brune sous le nez. Son cou était court. À partir de la cinquième, tous les élèves de Tate devaient pratiquer un sport. Charlie et moi avions tous les deux choisi la natation. Je le voyais donc plusieurs fois par semaine lors de l'entraînement. Mais je ne le connaissais pas vraiment. Nos conversations étaient plutôt limitées :

Lui : Nage libre ?

Moi : Han-han.

Lui : Moi aussi.

Moi : Cent ou deux cents ?

Lui : Deux cents.

Moi : Super.

Lui : Ouais.

Moi : Bon, il faut que je me change.

Lui : OK, à plus.

Charlie traînait avec un autre nageur, Josh, un colosse roux qui riait si bruyamment qu'on l'entendait jusqu'aux vestiaires des filles.

C'était début décembre, peu avant le bal de Noël.[52] Un jour, environ une heure avant l'entraînement, le téléphone a sonné. C'était Josh.[53]

— Quoi de neuf ? ai-je demandé.

Je n'avais pas la moindre idée de la raison pour laquelle il m'appelait.[54]

— Charlie a un truc à te demander.

---

52. Tate est très christo-centré, comme dirait Mr Wallace. Les élèves de sixième, cinquième et quatrième participent à ce bal chaque année. À croire qu'ils n'ont jamais entendu parler de Hanouka, du Kwanzaa, de l'athéisme ou du bouddhisme.

53. Chaque élève de Tate reçoit l'annuaire de l'école en septembre, ce qui explique que nous possédions tous les numéros des autres élèves.

54. Depuis la sixième, Katarina, Arielle et Heidi parlent souvent de leurs conversations téléphoniques avec des garçons. Je me demande comment ça a commencé. Les garçons les appelaient-ils sans raison précise ? Ou utilisaient-ils des prétextes comme « Oh, j'ai oublié mon devoir de maths » ? Étaient-ce les filles qui appelaient les garçons ? Je n'arrive pas à imaginer un seul des mecs de onze ans que j'ai connus me téléphonant.

Il avait l'air super gêné.

— Quoi ?

— Charlie ! Prends le téléphone !

Josh a commencé à glousser. J'avais envie de raccrocher, mais ça me semblait grossier, et aucun garçon ne m'avait jamais appelée. J'étais curieuse d'en savoir plus[55].

— Attends, quitte pas. Il est allé dans la pièce d'à côté.

Josh a posé le téléphone.

Je me suis assise. C'était tellement débile. Mais je ne pouvais pas raccrocher sans être condamnée pour le reste de ma vie à me demander ce que Charlie avait à me dire[56].

— Ruby, tu es là ?

Josh semblait à bout de souffle.

— Ouais.

— Il veut savoir – eh, Charlie, tu me fais mal ! – il veut savoir si tu veux aller au bal de Noël.

— Avec lui ?

Plutôt mourir. Je trouvais Charlie répugnant. Je ne sais pas précisément pourquoi. Mais le simple fait d'imaginer danser un slow avec lui suffisait à me faire frissonner de dégoût.

....

55. Et une fois qu'ils étaient au téléphone, de quoi pouvaient-ils bien parler ? Au moins, sur MSN, tu peux réfléchir deux secondes avant de répondre.

56. N'allez pas vous imaginer que des garçons de sixième m'aient jamais contactée sur MSN. Vraiment pas. Je pense juste que j'aurais préféré ça à des appels téléphoniques, à tout prendre.

— Elle peut me répondre demain ! a hurlé Charlie dans le fond.

— Tu as entendu ? a demandé Josh.

— Elle n'a pas besoin de répondre tout de suite !

— Et là, tu as entendu ?

— Ouais, ai-je dit. Bon, je vais réfléchir.

— Elle va réfléchir, a répété Josh.

Le lendemain, ce dernier s'est approché de moi pendant que je déjeunais en compagnie de Kim.

— De la part de Charlie, a-t-il dit, en sortant un collier de perles de sa poche puis en le posant devant moi sur la table. C'est pour toi.

Le collier était vraiment joli, mais sa simple vue me donnait la nausée. Je n'en voulais pas. L'accepter aurait été une forme de promesse. Ç'aurait été comme avouer à Charlie qu'il se passait quelque chose entre nous.

Et pourquoi Josh parlait-il à sa place ?[57]

J'ai regardé autour de moi, mais Charlie était introuvable.

— Pourquoi me donne-t-il ça ? ai-je demandé.

Kim a levé les yeux au ciel.

— Ben, tu lui plais.

— Ouais, a confirmé Josh. Comme je te l'ai dit, il veut savoir si tu accepterais de l'accompagner au bal.

Le collier était-il censé me convaincre ? Comme si j'allais penser : « Charlie ne me plaît pas, mais s'il y a des bijoux à la clef, là, je veux bien. »

....

57. Selon Kim, Charlie était timide. Selon le docteur Z, Josh m'aimait, et Charlie n'avait rien à voir dans l'histoire (!).

— Tu peux l'accompagner en amie, si tu veux, a dit Josh.[58] Et tu pourras garder le collier.[59]

Prendre ce bijou me condamnait à une belle galère. Je m'imaginais accompagnant Charlie au bal, ce collier autour du cou, sans lui avoir jamais parlé. Je m'imaginais le remercier, la prochaine fois que je le verrais. Je m'imaginais lui demander concrètement si nous irions au bal en amis ou... ou quoi ? Qu'est-ce que j'aurais pu dire ? En tant que « proches » ? En tant que petits amis ? Il n'y avait même pas de façon correcte de présenter le problème ! Et puis il faudrait que je porte le collier, et les gens penseraient que nous sortons ensemble. Ce qui aurait été plutôt valorisant, vu que je n'avais jamais eu de petit ami, mis à part le fait qu'il me révulsait.

Cette situation était étouffante.

— Je ne peux pas aller au bal. Ma famille et moi, nous ne serons pas en ville ce jour-là.

(C'était complètement faux.)

— Ah, d'accord. Bon, attends une seconde.

Josh a quitté le réfectoire quelques instants, probablement pour s'entretenir avec Charlie. Puis il est revenu.

....

58. Une tentative désespérée, vous ne croyez pas ? Quel crétin voudrait aller à un bal avec une fille qui lui plaît mais qui lui a fait comprendre qu'il n'avait aucune chance, qu'elle avait accepté faute de mieux ? Il se sentirait minable et rejeté toute la soirée.
59. Oh mon Dieu ! Je suis tellement nulle ! C'est exactement ce que j'ai fait avec Jackson lors du bal de printemps ! Je suis à l'évidence pathétique et désespérée, comme vous le constaterez bientôt, si vous poursuivez la lecture de ce récit.

— Tu peux garder le collier, si tu acceptes d'aller au *McDonald's* avec lui vendredi.

— Je suis végétarienne.

— Tu pourras commander des frites.

Je me sentais impuissante. Si je prétendais être occupée ce jour-là, il me proposerait une autre date, et me pousserait à garder le collier d'une façon ou d'une autre.

— Je n'ai pas le droit de fréquenter les garçons, ai-je prétendu. Ni d'accepter de cadeaux. Ma mère me l'a interdit.

(Absolument faux, encore une fois.)

— Vraiment ?

Josh semblait sceptique.

— Oui, sa mère est cinglée, a confirmé Kim.

— Tu n'es pas obligée de lui dire, a objecté Josh.

— Oh, elle le découvrirait, ai-je menti. Je ne peux rien lui cacher.

Après cet incident, pendant des semaines, j'ai rasé les portes et plongé derrière les buissons pour éviter de croiser Charlie. À la piscine, je regardais le sol et faisais de mon mieux pour me rendre invisible. Je me sentais minable d'avoir menti, et j'avais le sentiment qu'il n'était pas dupe. C'était l'horreur.

Il ne m'a pas lâchée pour autant. Au lieu de chercher une autre fille pour le bal, il y est allé seul. Moi, je m'y suis rendue en compagnie de Kim et de Nora. Il m'a invitée à danser un slow, malgré tout ce qui s'était passé.

Cette fois, j'ai eu le courage de refuser. Je n'ai pas prétendu me trouver à la campagne (ce qui n'était manifestement pas le cas), ni que mes parents me l'interdisaient, ni que j'étais végétarienne. Je lui ai juste dit non.

Sans doute parce qu'il avait eu le cran de me le demander droit dans les yeux.

À la télé, on voit ces publicités pour les diamants : des hommes achètent des cadeaux hors de prix à des femmes qui se pâment en les recevant. Jackson et moi, on aimait bien se moquer de ces spots. On restait collés dans un grand fauteuil, dans sa salle télé, et on se marrait en regardant ces potiches devenir à moitié folles à la vue d'un bout de caillou qui ne servait à rien.

— Elle ne préférerait pas un truc plus personnel ? a dit un jour Jackson, en commentant la crise de larmes d'une femme qui venait de recevoir un bracelet incrusté de diamants pour son vingt-cinquième anniversaire de mariage. Je veux dire, un truc original. Je ne t'offrirai jamais un de ces petits cailloux brillants, semblable au million de petits cailloux brillants reçus par un million d'autres filles.

— Et si je faisais collection de petits cailloux brillants ? Et si c'était mon truc ?

— Alors, j'irais sur la plage et je te trouverais une pierre. Ensuite, je la polirais avec du papier de verre et une peau de chamois.

— Radin, ai-je dit, pour rigoler.

— Ce serait un cadeau spécial. Différent.

Nous étions ensemble depuis cinq semaines. Ce que je ne lui avais pas dit, c'était qu'une pierre – même une pierre polie avec une peau de chamois – ne me ferait jamais l'effet d'un bracelet incrusté de diamants.

Bon sang, un foutu caillou n'a rien d'excitant.

Jackson n'a jamais su m'offrir de cadeaux. Vous pourriez penser qu'un tel détail n'a aucune importance entre deux personnes qui pratiquent le *blind test* de sucettes et s'embrassent pendant trois heures sans reprendre leur souffle. Mais si. En sixième, le collier que Charlie avait essayé de m'offrir n'était pas qu'un cadeau. C'était une tentative de corruption ou une façon tordue de me supplier de l'aimer. Les cadeaux de Jackson, eux, étaient des excuses. Ou des obligations remplies à contrecœur. Ou des tentatives de noyer le poisson.

Ci-dessous, une liste de crimes commis par Jackson Clarke sur la confiante et innocente personne de Ruby Oliver.

Un : au cours de notre premier mois, il a déposé une petite grenouille en céramique dans ma boîte tous les lundis matin. J'en ai reçu quatre. Elles sont toujours sur mon bureau. Chacune d'elles a une position et une expression différentes. D'accord, ça, ce n'était pas un crime. C'était même très mignon. Mais attendez la suite.

Deux : le cinquième lundi, j'ai inspecté ma boîte, avide de grenouille, et elle était vide. Pas de batracien. Pas d'explication.

J'ai regardé de nouveau au premier interclasse, et elle était toujours déserte.

Elle est restée vide toute la journée.

Pourquoi ?

Je n'ai pas osé en parler à Jackson. Après tout, ce n'étaient que des petites grenouilles en céramique. Seulement, je me suis demandé toute la journée pourquoi j'en avais été brutalement privée. Et puis j'ai pensé qu'il avait sans doute oublié la grenouille du jour à la maison, et qu'il ne manquerait pas de rectifier le tir dès le mardi.

Mais le mardi, journée sans grenouille.

À la fin des cours, Jackson m'a demandé ce qui n'allait pas. J'ai essayé d'en rire, et je me suis sentie stupide d'aborder ce sujet. Mais il me préoccupait, car ce petit rituel rien qu'à nous avait été annulé sans explication.

— Ruby ! s'est-il exclamé en riant. Je n'avais que quatre grenouilles, voilà tout ! J'ai acheté les quatre modèles disponibles au magasin. Je n'en ai plus. Qu'est-ce que tu es allée t'imaginer ?

J'ai dit que je comprenais et que j'étais désolée d'avoir été aussi idiote. La vérité, c'est que si j'avais été à sa place, j'aurais trouvé un substitut pour régler le problème posé par la rupture de stock. J'aurais trouvé une grenouille en gélatine, une grenouille en plastique pour le bain, ou une petite carte avec une grenouille dessus. Dans tous les cas, je l'aurais prévenu que la quatrième grenouille était la dernière. Il n'aurait pas été déçu et inquiet pendant deux jours.

Trois : Noël est le moment idéal pour offrir quelque chose à sa copine, non ?

Si.

Mais Jackson et sa famille sont partis en vacances au Japon, donc il n'était pas là le jour de Noël. La veille de son départ, je lui ai offert ce grand manteau marron des années soixante-dix déniché chez *Zelda's Closet* pour trente dollars. Il voulait une veste comme ça depuis des mois. J'étais si contente de l'avoir trouvée. Lui, il l'a adorée, mais il n'avait rien prévu pour moi.

J'ai dit que ce n'était pas grave. Mais j'imaginais qu'il me ramènerait quelque chose de l'étranger. En vérité, j'espérais ardemment qu'il me rapporte un cadeau. Était-ce vraiment si absurde ? Bick a offert un pull en cashmere à Melissa. Sean a économisé sur son salaire pour offrir à Kim tous les CD dont elle rêvait. Mon père a offert à ma mère un collier de pierres d'ambre. Mais Jackson est revenu du Japon en janvier. Il faut croire qu'il considérait que la période des fêtes était achevée. Bref, il a loupé l'occasion.

Quatre : un samedi, Jackson a oublié que nous devions nous voir. Nous n'avions rien prévu d'exceptionnel. Il devait juste venir mater la télé avec moi, mais quand même. Le vendredi, on a passé la soirée chez son ami Matt avec sa bande de copains. Quand il m'a raccompagnée, il a très clairement dit « À demain ».

Je l'ai appelé le samedi matin. Je suis tombée sur sa mère, qui m'a répondu qu'il était allé au garage pour faire changer le pot d'échappement de la Dodge et qu'il serait de retour à deux heures.

À cinq heures, il ne m'avait toujours pas appelée.

À six heures, il ne m'avait toujours pas appelée.

À sept heures, je l'ai rappelé.

— Tu l'as manqué de peu, m'a dit sa mère. Matt est venu le chercher. Je crois qu'ils sont allés au match.

Si je l'avais voulu, j'aurais pu le retrouver là-bas. Mais c'est à quarante-cinq minutes de chez moi et le bus ne passe qu'une fois par heure. Ma mère et mon père étaient allés dîner chez Juana, donc ils ne pouvaient pas m'accompagner. En plus, je savais qu'aucune de mes amies n'y serait et ça aurait fait un peu bizarre d'y aller seule. J'ai appelé Kim, qui allait au cirque avec Sean. Nora était chez Cricket. Elles m'ont dit que je pouvais les retrouver au *B&O* à neuf heures. Et puis j'ai pensé que la mère de Jackson se trompait, qu'il était en route pour me rejoindre, et que l'idée d'aller voir le match ne l'avait même pas effleuré. Alors je suis restée à la maison, et j'ai attendu.

Il n'est pas venu.

Je l'ai appelé sur son portable, mais il n'a pas répondu.

La maison est trop calme lorsqu'elle est vide. Sans doute parce qu'elle flotte sur l'eau.

J'ai lu quelques pages, puis j'ai regardé la télé en mangeant des nouilles chinoises express.

Ça a l'air stupide, mais vers dix heures, je me suis mise à pleurer. Je l'avais rappelé trois fois, sans laisser de message. Finalement, j'ai réussi à articuler le truc le plus relax que je pouvais imaginer, après le bip :

« Eh, c'est Ruby. Je croyais qu'on devait se voir, ce soir. J'espère que je me suis trompée. Rappelle-moi. »

Il a appelé vers minuit. Mes parents n'étaient pas encore rentrés. Il a dit qu'il venait juste d'avoir mon message, que j'avais l'air énervée et qu'il voulait savoir ce qui se passait.

— Je ne suis pas énervée. Je croyais que tu viendrais me voir.

— Je suis allé voir le match avec Matt. C'était génial. Frank a marqué neuf points.

— Tu ne m'avais pas dit que tu viendrais ?

— Je ne crois pas, Ruby.

— Mais si, tu l'as dit. On en a parlé hier soir. On devait regarder *Annie Hall*.

— On se voit tout le temps. On se voit presque tous les jours.

— Je sais.

— Alors je dois passer du temps avec mes copains, des fois. Voilà tout.

— Très bien, tu fais ce que tu veux. Je pensais juste qu'on devait passer la soirée ensemble.

— C'était un match super important. On jouait contre Kingston.

— J'ai passé la nuit à t'attendre.

Il a poussé un soupir.

— Ruby. Parfois, j'ai l'impression que tu me voudrais pour toi toute seule.

— C'est pas ça.

— Matt est passé et il m'a emmené. Il m'a pratiquement kidnappé.

— Oh, alors tu *savais* qu'on devait se voir ?

— Il voulait vraiment que je l'accompagne. Kyle et Whipper étaient avec lui. Je te jure, ils m'ont tiré à l'intérieur de la voiture et ne m'ont même pas laissé prendre mon manteau.

— Donc, ce que tu es en train de me dire, c'est que tu savais qu'on devait se voir et que tu es quand même allé voir ce match. Sans m'appeler.

— J'ai oublié.

— Oublié d'appeler, ou oublié notre soirée ?

— Ruby.

— Quoi ?

— Pourquoi tu ne me fais pas confiance ?

— Ce n'est pas ça. J'ai passé mon samedi soir assise chez moi à manger des nouilles chinoises, alors que j'aurais pu *sortir*.

— Et pourquoi tu n'es pas sortie ? Tu aurais pu venir au match, ou traîner avec Cricket. Ou Nora. Peu importe.

— Je ne suis pas sortie parce que j'avais prévu de te voir ! ai-je crié.

Il y a eu comme un blanc.

— Tu te prends la tête, a finalement lâché Jackson.

J'ai reniflé. J'espérais vaguement qu'il m'entendrait pleurer au téléphone et qu'il réaliserait qu'il s'était comporté comme un salaud.

— Tu vas bien ? a-t-il demandé.

— Ouais.

Mais à l'évidence, ce n'était pas le cas.

— Tu es trop sensible, Ruby.

— Peut-être.

— Je suis juste allé voir un match avec des copains.

— Ce n'est pas le problème.

— Il n'y a pas de problème.

— Ah vraiment ?

— Écoute, je dois me lever à six heures pour un entraînement d'athlétisme. Je suis crevé. On pourrait parler de ça demain ?

— OK, comme tu veux. Mais moi, je ne raccroche pas.

— Je te laisse, Ruby.

— D'accord, vas-y.

— Je raccroche. Bonne nuit.

Et puis j'ai entendu la tonalité.

Le dimanche matin, Jackson m'a appelée et il est passé me voir l'après-midi. Il m'a apporté un brownie.

Je l'ai mangé.

Il m'a dit qu'il était désolé, qu'il aurait dû m'appeler pour me prévenir qu'il allait au match.

Je pensais qu'il n'aurait pas dû y aller du tout, et qu'il aurait dû passer la soirée avec moi. Mais je n'ai rien dit.

J'ai dit que le brownie était délicieux – il faut préciser que j'adore les brownies –, et je lui ai demandé s'il voulait faire un tour avec moi sur les quais, pour regarder les bateaux. Il a accepté et nous nous sommes mis en route.

Mais plus tard, j'ai regretté d'avoir accepté ce gâteau minable. J'aurais dû le lui jeter en plein visage et l'avertir de ne plus jamais me faire un coup pareil.

Cinq : pour la Saint-Valentin, les terminale ont décidé de récolter de l'argent pour la soupe populaire en vendant et en livrant des fleurs. Pendant trois semaines, ils ont pris des commandes à un stand, au rez-de-chaussée du bâtiment principal : un dollar l'œillet, deux dollars la marguerite, trois dollars la rose. Il suffisait de commander, de payer et de rédiger le message accompagnant le bouquet.

Le 14 février, les terminale ont livré les commandes. Ils surgissaient un peu partout, en classe, au réfectoire, dans les couloirs, en hurlant le nom des destinataires.

Un grand nombre de filles avaient eu l'intelligence de s'envoyer des fleurs entre elles. Une interruption de cours par Bick, Whipper ou Billy Alexander, des roses plein les bras, valait bien quelques dollars. Les livraisons se succédaient à un rythme infernal. J'ai envoyé des marguerites à Kim, Cricket et Nora, et six roses à Jackson, accompagnées d'une carte anonyme. Mais, bien entendu, il était évident qu'elles venaient de moi.

Ce jour-là, Tate était en ébullition. Kim avait reçu une douzaine de roses de Sean le biscuit craquant, et j'ai trouvé une marguerite dans ma boîte avec un mot rigolo de Cricket. J'ai vu Jackson après le cours de français, troisième interclasse de la journée. Il n'avait pas encore reçu mon bouquet, alors je n'ai rien dit. Puis j'ai reçu une rose de Kim, une marguerite de Nora, et un œillet de Noel, le garçon qui était assis à côté de moi en arts plastiques, accompagné d'un poème marrant à propos de l'amour à sens unique.[60] Nora a trouvé l'exemplaire de *Playgirl* dans sa boîte et s'est mise à hurler de rire.

Jackson a déjeuné avec ses copains. Comme je trouvais étrange qu'il n'ait pas encore reçu mes roses, j'ai fait semblant de ne pas le voir et je suis restée avec Cricket, Kim et Nora. Au cinquième interclasse, Nora m'a montré la rose qu'elle avait reçue d'un type qu'elle avait connu à son entraînement de basket. Elle était super contente, même s'il ne lui plaisait pas « de cette façon ». Elle m'a demandé de lui montrer ce que Jackson m'avait envoyé. Lorsqu'elle a vu mon air dépité, elle s'est exclamée :

— Oh mon Dieu, j'espère que ce n'est pas encore un jour sans grenouille !

— Ça vaudrait mieux, ai-je dit sur un ton menaçant.

J'avais l'impression de me noyer. Le cours de biologie-éducation sexuelle n'a rien fait pour arranger les choses.

Peu après, tandis que je traversais l'agora pour me rendre en cours d'histoire-géographie, je suis tombée sur Jackson qui tenait les roses que je lui avais adressées. Il m'a embrassée et a dit :

---

60. Un jour, en arts plastiques, nous avons reçu le sujet stupide qui suit : « Représentez l'essence même de l'amour. » La plupart des gens ont dessiné des cœurs, des fleurs et des couchers de soleil. Noel a dessiné un accident de voiture, en s'inspirant d'une photo découpée dans un journal. Moi, j'ai peint une grenouille. Quoi qu'il en soit, le poème qu'il m'a envoyé disait : « Combien je t'aime ? Un dollar, comme cet œillet. Aussi haut qu'un cochon puisse voler. » Etc., etc. Donc, ce n'était pas sérieux.

— C'est toi, pas vrai ?

« Qui d'autre ? » ai-je pensé. N'était-ce pas évident ?

— Peut-être, ai-je répondu.

J'essayais d'être mystérieuse, surtout dans l'hypothèse où il ne m'aurait rien envoyé.

Pendant le cours de Mr Wallace, Cricket m'a à son tour demandé si j'avais reçu quelque chose. Lorsque j'ai dit non, elle m'a dit :

— Ne t'inquiète pas, j'ai entendu dire que c'était une commande spéciale.

Je n'arrivais pas à imaginer de quoi il pouvait s'agir, mais j'aimais bien l'idée, et je me suis détendue. Cricket avait reçu une rose de la part de Pete, qui est aujourd'hui son petit ami, mais qu'elle commençait tout juste à apprécier à l'époque. Whipper a livré des marguerites à Kim, de la part d'un élève de troisième qui avait flashé sur elle. Un million d'élèves m'ont demandé ce que Jackson m'avait offert, et Heidi m'a même conseillé de ne pas lui laisser croire que je lui étais définitivement acquise, avec un air entendu comme si elle le connaissait cent fois mieux que moi.

Comme si j'avais eu le moindre pouvoir sur ce qu'il pensait ! Qu'est-ce que j'étais censée faire ? Me comporter comme si je ne l'aimais pas ? Nous étions ensemble depuis déjà six mois.

Finalement, à la septième heure de classe, Billy Alexander a fait irruption dans la salle de littérature en braillant mon nom.

C'était un demi-œillet.

Sans blague. Un pauvre œillet blanc coupé en deux, accompagné d'un mot qui disait : « Jamais je ne t'offrirai de banales roses, comme les millions de roses offertes à des millions de filles. Joyeuse Saint-Valentin. Jackson. »

J'ai essayé d'avoir l'air contente, mais je pouvais à peine retenir mes larmes. Dès que j'ai franchi la porte de la classe, j'ai éclaté en sanglots dans les bras de Kim.

— Même pas une rose, ai-je gémi. C'est ce qu'il pouvait m'offrir de moins cher. C'est même la moitié de ce qu'il pouvait m'offrir de moins cher. »

— Oh Ruby, a dit Kim, c'est mignon. C'est original.

— C'est minable. La carte ne comporte même pas le mot amour. Les gens n'ont pas arrêté de me cuisiner de toute la journée, et je me retrouve avec une saleté de fleur à un dollar coupée en deux.

— Je suis sûre qu'il pensait que tu apprécierais. Il a dû faire une commande spéciale.

— J'aurais préféré des roses.

Je gardais la tête basse, afin que les élèves qui passaient dans le couloir ne me voient pas pleurer.

— Tu veux quelques-unes des miennes ?

— Non, ai-je pleurniché. Je voulais quelque chose de romantique.

— Je suis sûr qu'il n'a pas pensé à mal.

Kim m'a caressé les épaules.

J'ai quitté l'école en courant et j'ai retrouvé la jeep de Melissa sur le parking. Je n'avais pas de huitième heure de cours, mais elle si. Elle en avait encore pour cinquante minutes. Je me suis assise sur mon sac à dos, adossée au pare-chocs, et j'ai attendu. Finalement, elle est arrivée, jouant avec ses clés, chaussée d'une nouvelle paire de baskets (cadeau de Bick), deux douzaines de roses rouges dans les bras. Je suis sûre qu'elle a remarqué que mon visage était rouge et ravagé, mais elle n'a posé aucune question. Nous sommes rentrées en silence.

Plus tard, lorsque j'ai revu Jackson, je lui ai juste dit « merci », rien de plus.

— Pourquoi avoir fait semblant de ne pas être en colère ? a demandé le docteur Z.

— Je ne voulais pas que ça ait l'air important.

— Pourquoi pas ?

— Il aurait dit que j'étais trop sensible. Ou il aurait cru que je ne le comprenais pas, vu que je n'aimais pas son cadeau. Parce qu'il le considérait comme unique et original.

— Et si c'était lui qui ne t'avait pas comprise ?

— Quoi ?

— Oui, peut-être que c'est Jackson qui ne te comprenait pas. En tout cas, il ignorait ce que tu pouvais attendre de la Saint-Valentin.

— C'est juste une fête débile, ai-je conclu.

Lorsque je suis rentrée après la séance, John Hutchinson, alias Hutch le lépreux, buvait un coca sur le pont de la maison.

Oui, vous avez bien lu. Hutch. Le garçon n° 3. Sur le pont de ma maison.

Mon père se trouvait près de lui. Il rayonnait.

— John, tu connais Ruby ! a-t-il hurlé.

— Salut, Hutch. Qu'est-ce que tu fais chez moi ?

— Salut, Ruby.

— Hutch ? C'est comme ça qu'on t'appelle ?

Mon père lui a donné un coup de poing amical sur le bras, de façon très virile.

— Nan, a-t-il répondu en haussant les épaules. Mes amis m'appellent John.

Quels amis ?

— Comment as-tu atterri ici ? ai-je demandé.

— John a répondu à mon annonce, a dit mon père. Je cherche un charpentier et un assistant jardinier. J'ai mis une affichette sur le panneau de Tate. Tu sais, je vais transformer le pont sud en serre.

Oui, je savais. C'était un vieux rêve de mon père. Transformer le pont sud en petite serre, afin que ses chères plantes cessent de rendre l'âme en hiver, et y cultiver quelques variétés exotiques qui ne survivraient pas cinq minutes au climat de Seattle. Il se disputait à ce sujet avec ma mère depuis deux ans. Elle voulait qu'il se détende, passe des week-ends avec elle et utilise nos économies pour partir en vacances. Lui voulait dépenser son temps et son argent à construire une serre.

— John est dingue de plantes, s'est enthousiasmé mon père. Il veut devenir botaniste. Mais il se débrouille également très bien avec une scie, n'est-ce pas John ? Je vais lui apprendre tout ce que je sais.

Mon père n'est jamais plus content que lorsqu'il se met en tête de construire quelque chose.

Hutch a souri, dévoilant ses dents grises et hard rock.

— Super maison flottante, a-t-il dit. Je ne savais pas que tu habitais ici.

Depuis quand voulait-il devenir botaniste ? Quelle était cette tâche jaunâtre sur son T-shirt Kiss ? Pourquoi ne faisait-il rien contre ses problèmes de peau ? Je n'arrivais pas à croire qu'il serait le deuxième garçon à voir ma maison et à visiter ma chambre.

— Comment est-ce que tu aurais bien pu savoir où j'habite ? ai-je fait remarquer sur un ton cassant.

Cette question n'appelait pas de réponse. Je suis entrée et j'ai claqué la porte.

Je me suis jetée sur mon lit et j'ai allumé la télé, mais je pouvais entendre mes parents parler à l'extérieur.

— John, ne le prends pas mal, a dit ma mère. Son petit copain l'a quittée. Depuis, elle est un peu abattue. Très anxieuse.

— Ne le prends pas pour toi, a ajouté mon père. Elle souffre, et elle a du mal à pardonner.

— Elle exprime sa rage d'adolescente. Kevin, je pense que nous devrions nous réjouir de voir Ruby exprimer sa colère ouvertement. C'est un progrès, tu ne crois pas ? Elle est un peu renfermée sur elle-même, John. Elle ne parle pas facilement de ses émotions. Mais elle voit une psy, et nous espérons que ça l'aide à traverser ce moment difficile.

— Han han, a marmonné Hutch.

— C'est sans doute normal, à votre âge, a continué
ma mère. Qu'est-ce que tu en penses ?

À ces mots, je me suis ruée vers la salle de bains et
j'ai pris une longue douche chaude en essayant de me
persuader que mon père, ma mère et Hutch n'avaient
jamais existé.

8. Sam (mais il avait quelqu'un d'autre)

Le docteur Z pense que mes crises d'angoisse sont dues à mon incapacité à exprimer mes sentiments. Il paraît que je fais tout pour les cacher, et que c'est ça qui déclenche ces phénomènes d'anxiété. Bla bla bla.

Sans même parler de thérapie, le docteur Z pense que je passe mon temps à mentir. Que je mens à mes parents. Que je mentais à Jackson.

Elle pense surtout que je me mens à moi-même. Pas sur des faits concrets, mais à propos de mes sentiments.

Tous ces mensonges m'étouffent, et cette terreur tapie en moi est bien *obligée* de s'exprimer d'une façon ou d'une autre. Alors elle transforme mon cœur en marteau-piqueur et essore mes poumons comme des serviettes humides.

Je ne me suis jamais considérée comme une menteuse. Au contraire, je trouve même que je suis plutôt honnête. Mais je n'exclus pas la possibilité qu'elle ait raison.

— Comment pourrais-je être honnête alors que tout le monde n'arrête pas de *me* mentir ?

— Qui te ment ?

— Jackson.

— Qui d'autre ?

— Kim.

— Qui d'autre ?

J'avais le sentiment qu'il y en avait des centaines, mais aucun autre nom ne me venait à l'esprit.

Nous sommes restées silencieuses un moment.

— Avec qui *n'es-tu pas* tout à fait honnête ? a demandé le docteur Z.

— Personne.

— Personne ?

— Je ne suis pas une menteuse.

— Je me demande juste si, parfois, tu ne caches pas un peu tes sentiments.

— Je ne suis pas une menteuse.

— Ruby, ce n'est pas ce que je t'ai demandé. Je voudrais savoir si tu es toujours honnête vis-à-vis de tes sentiments.

Gulp. Suivre une thérapie est un cauchemar. Je lui ai dit que je préférais changer de sujet et j'ai passé le reste de la séance à expliquer à quel point ma mère était pénible[61]. Mais lorsque je suis rentrée à la maison, j'ai rédigé une liste de tous mes mensonges à Jackson.

....

61. Très, très pénible, et ça ne s'arrangeait pas. En février, elle s'est mise à la cuisine macrobiotique. Elle passe sa vie à hacher du tofu et à faire bouillir du riz complet tout en se lançant dans de grands ☛

1. Ce n'est pas grave que tu n'assistes jamais à mes compétitions de natation.

2. J'adore assister aux courses d'endurance.

3. J'adore les dessins animés japonais.

4. J'adore ton copain Matt.

5. J'ai beaucoup apprécié ton demi-œillet.

6. J'adore ta nouvelle coupe de cheveux.

7. J'adore ta mère.

8. Ce n'est pas grave que tu ne m'offres plus de grenouilles.

9. Je suis ravie que tu joues au tennis avec Heidi.

10. Ce n'est pas grave que tu ne m'aies pas appelée alors que tu avais promis de le faire.

11. Je suis contente que tu t'entendes si bien avec Kim.

Au onzième mensonge, j'ai réalisé que j'aurais pu en aligner vingt. Ou trente. Ou quarante. J'ai posé mon stylo.

---

discours sur les propriétés bénéfiques des feuilles de carotte sur la partie supérieure du corps, et du reste de ce légume sur la partie inférieure.

Nos repas sont devenus absolument immangeables. Chaque soir, je picore mon mélange de tofu et de carottes en rêvant de frites, ou de nos spaghetti au pesto d'autrefois. Ma mère ramène toujours la conversation sur le fait que je déteste mes cuisses et que je me trouve grosse, parce que ça lui semble absolument dément de ne pas adorer son délicieux repas. En général, elle conclut par : « Kevin, tu as remarqué que Ruby ne mange rien ? Tu ne crois pas qu'elle est en train de devenir anorexique ? »

Plus tard dans la soirée, quand elle est au téléphone ou se met au lit, mon père et moi nous glissons dans la cuisine pour dévorer des bols de céréales. Nous mourons de faim.

J'étais une menteuse pathologique. C'était évident et je n'en avais même pas pris conscience.[62]

Je n'avais jamais réalisé que j'avais tant menti à Jackson. Parfois, c'était pour lui faire plaisir. Sa coupe de cheveux. Sa mère. Mais la plupart du temps, je me mentais à *moi-même*, sans même m'en rendre compte, avant de rédiger cette liste. Je m'ennuyais à mourir pendant les courses d'athlétisme, mais je me persuadais que j'améliorais ma culture sportive. Je détestais les dessins animés japonais dont il se gavait, mais je me forçais à croire que je finirais bien par apprécier. Son ami Matt n'était pas insupportable, mais lourd et ennuyeux. Pourtant, j'allais chez lui chaque semaine, sans pouvoir m'empêcher de penser que j'aurais préféré me trouver ailleurs. Lorsque Jackson lui proposait de venir avec nous, je ne protestais jamais.

....

62. Je suis sûre que vous vous demandez qui est ce Sam dont le nom figure en tête de chapitre. C'est le premier garçon à qui j'ai plu, et qui m'a plu. Je l'ai rencontré lors d'une compétition de natation (il était du lycée Sainte-Augustine) et je lui ai filé mon e-mail. Il a commencé à m'envoyer des messages sur MSN, des blagues et des questions ambiguës, comme : « Avec quelle star du ciné aimerais-tu faire des bébés ? » Il m'a invitée à manger une pizza, et mon père a dû m'accompagner dans le quartier de l'université. C'était plutôt sympa. On a commandé des Cocas géants et joué à Pac-Man sur la console du foyer. Ensuite, il a pris ma main. Mais le jour suivant, je l'ai aperçu au centre commercial en compagnie d'une autre fille. J'ai fait ma petite enquête et j'ai découvert qu'il avait une petite amie depuis trois mois.
Je lui ai envoyé un message sur MSN : « Tu as une petite amie ? »
Il a répondu : « Pas encore, mais je garde espoir. Et toi, tu as un copain ? »
J'ai éteint l'ordinateur et ne lui ai plus jamais adressé la parole.
Salaud de menteur.

Jackson s'est lié d'amitié avec Kim peu avant Thanksgiving. Ce matin-là, nous étions tous réunis chez elle, sous le porche. On pelait du maïs et des pommes sur ordre de Mae Yamamoto, qui semblait nous considérer comme de la main-d'œuvre bon marché.

On se moquait de Mrs Long, la prof de français, et de sa collection de cochons en peluche. Nous nous demandions comment quelqu'un en venait à collectionner de tels objets. À un moment, Jackson s'est tourné vers Kim et lui a dit un truc en japonais.

Elle lui a répondu dans la même langue.

Il a ajouté quelque chose.

Elle a surenchéri.

J'ai continué à éplucher mon maïs.

Kim m'a donné une petite claque sur le genou.

— Tu ne m'as jamais dit que Jackson parle japonais couramment !

— Il a vécu un an à Tokyo.

— Vraiment ? s'est exclamée Kim, alors qu'elle le savait déjà, évidemment. Je cherche quelqu'un pour pratiquer. Dans quel quartier vivais-tu ?

Encore des mots en japonais. Encore et encore.

— Désolé, Ruby, disaient-ils de temps à autre, à tour de rôle.

Je me suis concentrée sur mon maïs.

C'est comme ça qu'ils sont devenus amis. Ils faisaient des trucs ensemble et s'appelaient au téléphone. Jackson était un chaud partisan de l'amitié entre garçons et filles, et j'étais d'accord avec lui, en théorie.

Oui, je pense qu'il est important de nouer des liens avec le sexe opposé. Noel, le garçon du cours de dessin, était mon ami, après tout. Nous devrions être cool, ni jaloux ni possessifs. Il faudrait que les filles et les garçons puissent se fréquenter sans se considérer comme des objets de désir.

Mais, en réalité, je n'ai pas vraiment apprécié la fois où j'ai aperçu ce petit mot qui dépassait de la poche de Jackson, recouvert de l'écriture de Kim, moitié japonais, moitié anglais. Ni la fois où il m'a laissée, un dimanche, au beau milieu de l'après-midi : je n'ai appris que le lendemain que c'était pour se rendre chez elle, pour réviser leur cours d'histoire asiatique. Ni celle où il m'a emmenée dîner dans un restau japonais pour la première fois : il a invité Kim à se joindre à nous, sans même me demander mon avis. C'est vrai, nous nous sommes bien amusés, mais j'étais quand même un peu déçue, vu que Jackson et moi n'étions jamais allés dîner en amoureux dans un endroit aussi sympa, et que je m'étais faite toute belle pour ce rendez-vous romantique.

Ils n'ont jamais flirté devant moi.

Pas de sourires complices, pas de regards lancés à la dérobée, pas de *private jokes*.

Il n'a jamais dit qu'il la trouvait jolie. Elle n'a jamais fait preuve de nervosité lorsque je parlais de lui. Elle était au courant de tout, mais la seule chose qu'elle m'a jamais dite, c'est qu'elle savait qu'il m'aimait et que ses intentions étaient bonnes, en adoptant le même ton que le jour où elle m'avait rassurée lors de l'affaire du demi-œillet. Jackson n'a jamais cessé de m'embrasser avec fougue, comme si cela comptait beaucoup pour lui, en posant ses mains sur mon visage. Il n'a jamais cessé de venir chez moi, de piller mon frigo macrobiotique, de m'attirer dans la chambre dès que mes parents avaient le dos tourné pour que nous puissions nous embrasser sur le lit et sentir nos peaux tièdes l'une contre l'autre sous nos T-shirts.

Lorsque je l'appelais, il disait toujours :

— Oh, je suis content de t'entendre.

Quand on regardait un film, il ne lâchait pas ma main.

Il glissait des mots dans ma boîte presque chaque jour, des blagues et des pensées bizarres[63].

C'était mon petit ami, j'étais sa copine. Quoi qu'il se passe dans ma vie, ce fait ne pouvait être remis en cause.

Jusqu'à la semaine précédant le bal de printemps.

Le vendredi soir, Jackson et moi sommes allés au cinéma. Il n'a pas pris ma main, comme il en avait

....

63. « *Ruby, l'ensemble de la famille est extrêmement déçu que tu n'aies pas pu assister à cette mémorable soirée chili. Malgré le remords qui nous rongeait, le chili a débordé, et pas qu'un peu ! On en a englouti des tonnes, avec des grognements de plaisir et de répugnants bruits de mastication. Il ne reste même pas de quoi nourrir un hamster nain. Tu m'as manqué. Jackson.* » Ou : « *Je t'écris de chez Kyle. Nous sommes ivres morts, parce que sa mère nous a servi du vin au dîner. Question : qui a toujours une brosse à dents chez Kyle, au cas où ? Réponse : moi, andouille ! Bonne nuit, bonne nuit, de ton homme proche du coma, à peine capable d'écrire. Jackson.* » Je ne peux pas jeter ces petits mots. Je sais pourtant que ça me ferait du bien.

l'habitude, et, quand j'ai essayé de le faire, il m'a repoussée. Ensuite, nous nous sommes payé une glace au centre commercial, mais les néons étaient aveuglants et le film un peu tristounet, avec beaucoup de morts. L'ambiance n'était pas terrible. On ne se parlait pas beaucoup.

Il m'a laissée près du quai, sans entrer chez moi, même si nous nous sommes embrassés longuement, allongés sur la banquette arrière.

Le lendemain matin, il m'a appelée vers onze heures.

— Ruby, il faut qu'on parle[64].

— De quoi ?

— Pas au téléphone.

— Tu veux passer ?

— Matt et Kyle vont arriver d'un moment à l'autre pour regarder le match à la télé. Je viendrai te voir après.

— OK. De quoi veux-tu qu'on parle ?

— Est-ce que je peux passer vers six heures ?

— Bien sûr. Tu resteras dîner ?

— Je ne peux pas. J'ai un truc à sept heures.

— C'est quoi ?

— Hum. Un truc à faire avec ma mère.

— Ah. Mais quoi ?

Jackson a fait une pause.

----

64. C'est tellement cruel de dire à quelqu'un « *il faut qu'on parle* » puis de refuser d'en dire plus. Si vous avez l'intention de plaquer votre copain ou votre copine, ou de lui annoncer une chose importante, n'employez jamais cette expression. Contentez-vous de dire ce que vous avez à dire et finissez-en.

— On se voit à six heures, Ruby. On pourra en parler.

N'importe quelle idiote aurait compris qu'il s'apprêtait à rompre, et une partie de moi le savait aussi. Qu'est-ce que « *il faut qu'on parle* » aurait bien pu vouloir dire d'autre ? Et pourquoi allait-il faire tout ce chemin pour venir chez moi alors qu'il avait un rendez-vous une heure plus tard ? Mais le bal de printemps approchait, le grand événement de l'année qui se déroulait sur un yacht, et j'avais mis de l'argent de côté pour m'acheter une chouette robe années soixante-dix. Jackson devait m'emmener dîner puis m'accompagner au bal. Nous avions prévu de finir la soirée chez moi, avec tous nos amis, vu que le yacht était amarré à quelques pas de ma maison flottante.

Donc, je ne pouvais même pas imaginer ce qui me pendait au nez. Nous avions des projets. Nous étions ensemble, bon sang.

Malgré mes certitudes, ce jour-là a été une torture. J'ai appelé Kim six fois.

Impossible de la joindre. Elle avait éteint son portable. Je me suis dit qu'elle devait être avec Sean. Je lui ai laissé un message, mais elle ne m'a pas rappelée.

J'ai composé le numéro de Nora.

— Sexe, a-t-elle dit. Vous vous êtes allongés à l'arrière de la voiture hier soir. Maintenant, il est chaud comme la braise. Il veut aller jusqu'au bout. Ou du moins, un peu plus loin.

J'ai appelé Cricket.

— Il doit être avec ses potes. Il a besoin de sortir. De faire des trucs de mecs avec ses copains mecs. Pete est comme ça. Tu sais ce qu'il m'a dit la nuit dernière ?

Bla bla bla. Grand discours à propos de Pete et de son machisme tellement craquant.

Comme il faisait beau, j'ai pris mes bouquins et je suis allée travailler au bout du quai. J'ai achevé la lecture de *Grandes Espérances*, de Charles Dickens, pour le cours de littérature. Je suis rentrée à la maison et j'ai rédigé mon devoir de biologie-éducation sexuelle sur l'ordinateur de mon père. J'ai pris une douche, je me suis séché les cheveux, je me suis maquillée, j'ai mis mon jean préféré et j'ai essayé six pulls différents. Mon ventre s'est mis à gonfler, et tout ce que je portais me rendait ridicule. J'ai mis un autre soutien-gorge. Je me suis démaquillée. Je me suis remaquillée. J'ai mis trop de parfum et je me suis mise à cocoter atrocement. Finalement, j'ai enfilé mon vieux sweat-shirt, celui de mon équipe de natation, en me disant qu'au moins je n'aurais pas l'air préoccupée par mon apparence.

Jackson est arrivé pile à l'heure. Il était super beau, avec ses cheveux qui frisottaient dans le cou et son vieux T-shirt sorti sur son jean. Il est entré et a discuté avec mon père pendant dix minutes. Puis il m'a demandé si je voulais aller me promener sur le quai.

J'avais passé presque toute la journée à cet endroit, mais j'ai dit que j'étais d'accord.

C'est là qu'il a rompu avec moi. Seulement, il a présenté ça comme si nous nous séparions d'un commun accord.

« Ça n'a jamais vraiment collé entre nous, a-t-il dit. Nous ne recherchons pas la même chose. »

« Je crois que je ne suis pas celui qu'il te faut. Je ne te rends pas heureuse. »

« Nous avons besoin de temps pour réfléchir à tout ça. C'est quelqu'un d'autre qu'il te faut. »

C'est Jackson Clarke, ai-je pensé, celui qui m'aimait sincèrement.

C'est Jackson Clarke, qui était tout à moi.

C'est Jackson Clarke, qui m'a embrassée hier soir.

C'est Jackson Clarke.

C'est Jackson Clarke.

C'est Jackson Clarke.

— Pourquoi ? ai-je demandé.

— Ce n'est pas ta faute. Nous avons juste besoin de temps pour réfléchir.

— J'ai fait quelque chose qui t'a déplu ?

— Bien sûr que non. Ne sois pas si sensible.

— Tu me quittes et tu me demandes de ne pas être sensible ?

— Tu dramatises, Ruby. Je ne te quitte pas. Ce n'est pas ça. Je pense juste que nous devrions faire un break. Et tu sais parfaitement que j'ai raison.[65]

Il a regardé sa montre.

---

65. Mais qu'est-ce qu'il me racontait ? On se séparait ou pas ? Ce côté flou rendait les choses encore plus difficiles.

— Il faut que j'y aille. Je dois être à ce rendez-vous à sept heures. Je suis désolé.

J'ai reniflé.

— Tu ne peux pas appeler pour dire que tu seras en retard ?

— Non, je ne peux pas. Impossible.

— Pourquoi ?

Il n'a pas répondu.

— On reste amis, hein ?

J'ai hoché la tête.

— Ça me ferait vraiment plaisir. Je t'aime beaucoup, Ruby.[66]

Il m'a embrassée rapidement sur la joue, puis il s'est éloigné.

Je me suis mise à pleurer.

J'ai entendu la porte de sa voiture claquer. Le moteur a démarré, et il est parti.

Ce soir-là, j'ai appelé Kim trois fois, sans succès. Cricket et Nora étaient au cinéma, mais à neuf heures, elles ont enfin décroché.

— Oh ! ma chérie, je suis désolée, a répété Nora une centaine de fois, en m'interrompant à chaque fois que j'essayais de lui décrire la situation.

---

66. Le lendemain, Nora m'a fait remarquer que c'était un cliché. Le mec qui plaque prétend toujours qu'il veut rester ami, alors que, après ce qu'il vient de lui faire, la fille voudrait pouvoir creuser un trou et s'y laisser mourir. Je pense qu'il dit ça pour se libérer de sa culpabilité. Et la fille accepte, parce que savoir que le garçon souhaite conserver un lien rend la situation un peu plus facile à tolérer.

Cricket, qui était assise près d'elle, n'arrêtait pas de demander : « Quoi ? Qu'est-ce qui se passe ? »

— Je tuerais Pete s'il me traitait comme ça, a dit Cricket, quand elle a fini par attraper le téléphone. Tu sais ce qu'il m'a dit à propos du bal de printemps ?

Puis la liaison a été coupée parce qu'elles étaient dans la voiture du père de Nora et qu'il venait de s'engouffrer dans un tunnel.

Je n'ai parlé de la rupture à mes parents que le dimanche, au dîner. J'ai été obligée d'avouer parce que ma mère n'arrêtait pas de me demander pourquoi j'avais les yeux gonflés.

Maman :

— Oh, je ne l'ai jamais apprécié de toute façon. C'est un garçon détestable.

Papa :

— Elaine, elle a besoin de pardonner. Sinon, elle n'avancera jamais.

Maman :

— Bon, ce qui est fait est fait. Maintenant, il faut qu'elle oublie tout ça. Elle doit exprimer sa colère.

Moi :

— Maman, je...

Maman :

— Ruby, calme-toi. Tu vois comme elle élève le ton ? Comme elle a besoin de s'exprimer ?

Papa :

— Je me demande comment Jackson se sent en ce moment. Ruby, es-tu capable de te mettre à sa place ? de comprendre son point de vue ? C'est comme ça que tu arriveras vraiment à transcender l'aspect négatif de cette expérience.

Maman :

— J'ai toujours détesté sa façon de klaxonner pour t'appeler, sans même venir nous dire bonjour.

Le lundi, au lycée, je me suis sentie paumée. Depuis des mois, j'avais vécu au rythme de Jackson. Tôt le matin, je buvais un thé avec lui au réfectoire. Au troisième interclasse, on échangeait un baiser rapide dans le couloir principal. La plupart du temps, on déjeunait ensemble. Je le voyais traverser l'agora après la cinquième heure de cours. Il m'attendait à la sortie de mon entraînement de lacrosse (la saison de natation est terminée). Et voilà que je faisais tout mon possible pour l'éviter, tout en espérant le rencontrer dans l'un de ces endroits rien qu'à nous et l'entendre me dire qu'il revenait sur sa décision. Et puis je l'ai vu, à midi, au réfectoire. Il était attablé en compagnie de Matt et de sa bande de copains.

— Salut, Ruby, a-t-il dit. Comment ça va ?

Puis il s'est détourné sans même me laisser le temps de répondre.

Lorsque j'ai enfin vu Kim et que j'ai pu lui raconter ce qui s'était passé, elle a été stupéfaite, puis elle a tout fait pour me réconforter. Enfin, à bien y réfléchir, elle a dit des trucs qui auraient dû me mettre la puce à l'oreille.

— Cela dit, tu t'y attendais un peu, non ?

— Ben non.

— Ça faisait quand même un moment qu'il y avait un malaise entre vous.

— Je ne comprends pas ce qui s'est passé. Il a décidé qu'il ne m'aimait plus comme s'il avait tourné un bouton. Vendredi, il m'aimait, et samedi, c'était fini.

— Tu seras plus heureuse sans lui, a-t-elle dit en me caressant le bras. De toi à moi, je n'ai jamais pensé que vous étiez faits l'un pour l'autre.

— Qu'est-ce que tu veux dire ?

— Vous n'alliez pas ensemble. Ça n'aurait pas pu marcher.

— Comment ça, on n'allait pas ensemble ?

— Tu sais bien ce que je veux dire. Vous ne recherchiez pas la même chose.

— Comme quoi, par exemple ? Est-ce qu'il t'en a parlé ?

— Non, ce n'est pas ça. J'essaye juste de te remonter le moral, Ruby.

— Dans ce cas, je crois que tu perds ton temps.

— Je suis désolée.

— Excuse-moi, je ne voulais pas être désagréable. C'est juste que c'est la journée la plus sans grenouille de toutes les journées sans grenouille que j'aie jamais vécues.

— Laisse-moi t'offrir une glace, a-t-elle dit en passant son bras autour de mon cou.

J'ai avalé une coupe aux amandes grillées, au réfectoire, pendant le premier interclasse.

Cet après-midi-là, je suis allée chez Cricket. Nous avons préparé des cookies aux pépites de chocolat et nous les avons dévorés, les pieds dans le jacuzzi. Mardi, j'ai vécu le même enfer que la veille, à ceci près que tout le monde savait désormais que Jackson m'avait plaquée. Katarina et Arielle sont venues me voir :

— Comment ça va, Ruby ? a demandé cette dernière d'une voix pleine de commisération.

Matt et Kyle m'ont dit « salut » dans le couloir, sans s'arrêter pour discuter comme ils avaient l'habitude de le faire.

Après l'entraînement de lacrosse, je suis allée au *B&O* avec Cricket et Nora. Kim ne nous a pas accompagnées. Elle a dit qu'elle avait trop de travail.

Sean Murphy travaillait au comptoir. Il broyait du noir.

— Voilà ce que j'appelle un biscuit déprimé, a dit Cricket.

Il est venu s'asseoir avec nous une minute.

— Vous savez où est Kim ? a-t-il demandé. Elle est occupée ces derniers temps ou quoi ? Elle ne répond pas à mes appels. Je ne l'ai pas vue de tout le week-end.

Aucune de nous ne savait quoi répondre. Lorsqu'il est retourné à son poste de travail, nous avons conclu que Kim avait perdu tout intérêt pour le biscuit craquant. Pauvre petit biscuit. Triste biscuit. Nous lui avons laissé un gros pourboire et un petit mot rigolo griffonné sur un set de table en papier.

Le mercredi matin, Kim a annoncé officiellement sa rupture avec Sean. Ce n'était pas « le bon », et elle avait l'impression de perdre son temps. Mais elle était un peu triste, parce que c'était vraiment un gentil garçon.

Rien à signaler pour le reste de la journée, exception faite de mon cœur brisé.

Le mercredi soir, Kim m'a appelée.

— Ruby, je voulais que tu l'apprennes de ma bouche.

— Que j'apprenne quoi ?

Nous étions en train de dîner. Mes parents mangeaient des champignons cuits à la vapeur, du tofu et du riz complet, sans perdre un mot de ma conversation téléphonique.

— S'il te plaît, ne te mets pas en colère.

— D'accord.

Pour quelle raison aurais-je pu me mettre en colère ?

— Promis ?

— OK, OK. Qu'est-ce qui se passe ?

Une pause.

— Je sors avec Jackson.

J'étais estomaquée. Je ne pouvais pas répondre, juste respirer lourdement dans le combiné.

— Nous nous entendons si bien. Il me racontait tous ses problèmes avec toi, comment il essayait de sauver votre relation, et je crois que ça nous a rapprochés.

— Quels problèmes ?

Je ne savais même pas que Jackson pensait que nous avions des problèmes.

— Oh, il n'a rien dit de négatif à ton sujet. C'était comme s'il avait besoin de soutien. Il avait besoin de quelqu'un qui soit toujours là pour lui.

— Et je n'étais pas là pour lui ?

— S'il te plaît, Ruby. Ne te mets pas dans ces états. C'est arrivé, voilà tout. On n'a rien prémédité. Et je ne t'aurais jamais fait une chose pareille si ça avait marché entre vous. Je pense vraiment que Jackson et moi sommes faits l'un pour l'autre.

— Qu'est-ce que tu veux dire par « *ça ne marchait pas entre vous* » ?

— Bon, en tout cas, ça n'a pas longtemps marché. Tu le sais aussi bien que moi.

— Quand est-ce que ça a commencé ?

— Seulement hier. Je te le jure. Nous avons retenu nos sentiments jusqu'à ce jour. J'espère que tu me crois. Je voulais que tu sois la première à savoir.

— Hum, hum.

(Retenu nos sentiments *jusqu'à ce jour* ? Depuis combien de temps ces sentiments existaient-ils ?)

— S'il te plaît, ne sois pas fâchée. Tu n'y pouvais rien. C'est le destin.

— Hum, hum.

Mes parents faisaient des gros yeux et penchaient la tête comme pour dire : « Nous dînons en famille. Pourrais-tu abréger cette conversation ? »

— Comprends-moi, a continué Kim. Je ne me suis jamais sentie comme ça avec un autre. Je crois que c'est le bon. C'est mon Tommy Hazard.

— Pourquoi est-ce que vous parliez de moi ?

— Jackson ne te veut que du bien, Ruby, il faut que tu me croies. Il avait besoin d'une confidente, il était tellement perdu.

— Il faut que je te laisse.

— S'il te plaît, ne m'en veux pas. Quand tu trouveras ton Tommy Hazard, tu comprendras. Honnêtement, je n'y pouvais rien.

J'ai raccroché.

Cette nuit-là, j'ai eu ma première crise d'angoisse, dans la salle de bains, en me brossant les dents. J'ai eu chaud, puis j'ai eu froid. Je me suis mise à transpirer et, quand j'ai mis la main sur ma poitrine, j'ai senti mon cœur s'emballer comme s'il allait jaillir de mon torse. Je suis tombée sur le sol, en pyjama, et j'ai fixé le plafond en essayant de reprendre mon souffle. Alors, j'y ai aperçu des petites traces de rouille que je n'avais jamais remarquées auparavant.

9. Michael (mais c'était purement technique)

On pourrait affirmer que Michael Malone est le premier garçon que j'ai embrassé. Techniquement, ça ne fait aucun doute.

Mais ça n'avait rien d'officiel.

À la fin de l'année de cinquième, tous les élèves[67] que je connaissais étaient déjà sortis avec quelqu'un.

....

67. À l'exception de Sean Murphy. Kim était sa première petite amie, il avait alors 15 ans.

— Tu lui as pris sa virginité ! a crié Cricket lorsqu'elle a appris ça.

— C'est lui qui a commencé, a ricané Kim. Je n'ai rien fait.

— Mais tu étais la première ! Il s'en souviendra toute sa vie. Le premier baiser de la Myrtille.

— Comment il s'en sort ? a demandé Nora.

— S'il ne sait pas comment embrasser, je peux t'aider, a interrompu Cricket. Kaleb était archi-nul. Il bavait comme un crapaud et m'enfonçait sa langue jusqu'aux amygdales.

— Beurk. Qu'est-ce que tu as fait ? ai-je demandé.

— Ben je lui ai fait subir un entraînement ! a gloussé Cricket. Seulement, je n'ai pas pu terminer le programme, vu qu'il m'a larguée avant la fin.

— Comment tu t'y es prise ?

— Oh, c'est toute une histoire. Un vrai camp disciplinaire du baiser.

— Tu lui as dit qu'il embrassait comme un nul ?

— Non. Il faut y aller avec des pincettes. Par exemple, je tenais sa tête pour l'empêcher de m'enfoncer sa langue au fond de la gorge, en ☞

Mais pas moi. Et puis, cet été-là, je suis allée en colo à Camp Rainier, l'endroit où j'avais rêvé de Ben Moore pendant quatre longues semaines. Seulement, cette année, au lieu de chanter, de dresser des bivouacs et de nous lancer à corps perdu dans des projets d'artisanat, tout le monde jouait à *faire tourner la bouteille*[68]. La chambre des filles de douze-treize ans était tout près de celle des garçons du même âge. Après l'extinction des feux, nous attrapions une lampe torche et nous nous faufilions jusqu'à une clairière toute proche du bâtiment. Les garçons portaient des jeans et des T-shirts (au fait, dans quelle tenue dormaient-ils ?), mais les

----

l'attrapant par les oreilles, si nécessaire. Je m'arrangeais pour qu'on se retrouve allongés sur le canapé, et je me mettais au-dessus. Ça permet d'éviter les flots de bave.

— Oh mon Dieu, ça a dû être un cauchemar, a gémi Nora.

— Tu ne peux même pas imaginer, a confirmé Cricket en roulant des yeux terrifiés.

— Quoi d'autre ?

— Je l'embrassais beaucoup dans le cou, mais je ne pouvais pas me contenter de ça. À un moment ou à un autre, il faut en passer par les lèvres.

— Quoi d'autre ?

— Je ne peux pas t'en dire plus, a gloussé Cricket. C'est privé. Maintenant, j'aimerais en savoir plus sur le biscuit craquant.

— Oh, il paraît qu'il était au top dès le départ, a dit Nora.

— C'est vrai ? ai-je demandé à Kim.

Elle a hoché la tête avec un sourire satisfait.

— Il n'a pas eu besoin d'entraînement. Il est naturellement doué.

68. J'exagère, bien entendu. Nous faisions des randonnées et plein de travaux manuels. Ce que je veux dire, c'est que nous ne pensions qu'à *faire tourner la bouteille*. Tout le monde se foutait royalement des jeux de drapeaux, ou des veillées chantantes, de la protection de l'environnement, et de tout ce qui nous passionnait l'année précédente.

filles gardaient leur chemise de nuit, ce qui semblait plus sexy et plus aventureux. Et puis, nous avions la flemme de nous changer.

Ben Moore n'est pas venu cette année-là, à la grande déception de toutes les filles qui l'avaient rencontré l'année précédente. Au total, huit garçons dignes d'intérêt venaient quotidiennement jouer à *faire tourner la bouteille*. Et nous étions douze filles[69]. Les règles du jeu étaient les suivantes[70] :

Tous les participants s'asseyaient en cercle. Au centre, nous placions une bouteille en plastique vide sur un grand atlas emprunté à la petite bibliothèque de la colo qui rassemblait essentiellement des livres en rapport avec la nature. Un garçon faisait tourner la bouteille sur elle-même. Lorsqu'elle s'arrêtait, en théorie, son goulot était pointé en direction d'une fille. Si elle s'arrêtait sur un garçon, il fallait renouveler l'opération. Lorsque le joueur ne voulait pas de la fille désignée, il prétendait que la bouteille était orientée vers le garçon assis à ses côtés, et il faisait de nouveau tourner la bouteille. Même chose lorsqu'elle s'arrêtait réellement entre deux participants. Ou que

....

69. Que faisaient les garçons qui ne jouaient pas à *faire tourner la bou-teille* ? Est-ce que ça ne les intéressait pas ? S'excluaient-ils volontaire-ment du reste du groupe ? Et pourquoi y avait-il toujours plus de filles que de garçons pour se livrer à de telles activités ? Les filles sont toujours condamnées à danser entre elles ou à aimer le même garçon. Juste une fois, j'aimerais connaître une situation où il y aurait *trop* de garçons.
70. Bon, j'ai déjà connu une telle situation. À la fin de la seconde. Et ce n'était pas beau à voir. Réaliser ses rêves peut tourner à la débâcle la plus totale.

la fille désignée invoquait une irrégularité technique qui rendait le tour invalide (parce qu'elle ne voulait pas embrasser le garçon, bien entendu).

Les parties étaient essentiellement composées de tours invalides. Quand la bouteille finissait par désigner une fille, et que tout le monde s'accordait pour dire que le coup était régulier, le couple ainsi formé disparaissait dans les sous-bois pour s'offrir ce que nous appelions « sept minutes au paradis[71] ».

Pendant ces sept minutes, la règle stipulait que tous les autres participants devaient rester assis, mais nous nous contorsionnions tous pour voir ce qui se passait dans la pénombre, et quiconque apercevait quoi que ce soit devait le rapporter aux autres à voix haute.

Puis le garçon et la fille revenaient s'asseoir dans le cercle, parfois en se tenant la main. Et nous passions au tour suivant.

Trois filles de notre chambre ne participaient pas à ces aventures au clair de lune. Une maigre, qui se balançait d'avant en arrière sur sa chaise et parlait toute seule ; une de quatorze ans, furieuse d'avoir échoué dans la chambre des douze-treize ans, qui ne nous adressait pas la parole ; une autre qui passait son

---

71. À la colonie où Kim et Nora passaient leurs vacances (« Trop cher », avait dit mon père ; « Trop réac », avait dit ma mère), il existait deux jeux différents. *Faire tourner la bouteille* consistait à s'embrasser, et ça se faisait devant tout le monde. *Sept minutes au paradis* consistait à tirer un nom dans un chapeau puis à s'enfermer dans un placard pendant sept minutes avec le participant désigné par le hasard. Bon sang, ce premier baiser avec Michael Malone m'a dégoûtée. Si nous avions joué selon les règles correctes, ça ne se serait jamais produit.

temps à lire des romans sur les chevaux et se plaignait amèrement de ne pas se trouver dans une colo orientée équitation.

Moi, je devais jouer afin de ne pas devenir une lépreuse, mais j'étais terrifiée. Je n'avais aucune idée de ce que nous étions censés faire pendant ces sept minutes. J'imaginais qu'il fallait s'embrasser, bien sûr, mais sept minutes me semblaient une éternité (l'épreuve était chronométrée). Était-il possible de s'embrasser si longtemps ? Fallait-il rester debout ou s'asseoir sur une souche d'arbre ? Fallait-il s'enlacer ? Si oui, où fallait-il mettre ses mains ? En plus, j'avais des seins, et je ne portais pas de soutien-gorge sous ma chemise de nuit. Que se passerait-il si le garçon s'en rendait compte ? Penserait-il que j'étais une garce ? À l'inverse, trouverait-il bizarre que je porte un soutien-gorge sous ma chemise ? En outre, j'avais de bonnes raisons de ne pas vouloir embrasser tous les garçons qui jouaient à *faire tourner la bouteille*. Deux d'entre eux étaient méchants. Trois d'entre eux étaient physiquement repoussants. L'un d'eux était mignon mais extrêmement petit, et je ne pouvais pas l'imaginer se hissant sur la pointe des pieds pour m'embrasser. Il restait donc deux garçons acceptables, mais l'un d'eux plaisait à ma copine Patricia (ce qui le mettait hors jeu) et le second m'avait traitée de binoclarde (donc je savais que l'idée de m'embrasser ne l'enthousiasmait pas).

Au cours de la première semaine, j'ai réussi à éviter d'embrasser qui que ce soit en m'appuyant sur des irrégularités techniques à chaque fois que la bouteille me désignait. Puis j'ai supplié Patricia de me soutenir dans mes contestations et de confirmer que la bouteille désignait systématiquement quelqu'un d'autre. Elle a accepté et je ne suis pas passée à la casserole jusqu'à la troisième semaine, jusqu'au jour où j'ai dit à d'autres filles que Patricia avait échoué au test du crayon. C'est une épreuve qui consiste à se placer un crayon dans le pli sous le sein pour vérifier s'il tombe sur le sol ou s'il reste coincé. Si le crayon reste en place, c'est perdu.[72]

Les seins de Patricia étaient énormes, et son crayon est resté immobile. Évidemment, elle a été furieuse que je le dise à tout le monde[73]. Mais au lieu de me rentrer dans le lard, elle a attendu que nous jouions à *faire tourner la bouteille*, le soir même, et s'est opposée à ma première réclamation.

— Ruby, cette bouteille pointe droit sur toi. Pourquoi contestes-tu toujours les résultats ? Tu as peur ou quoi ?

— Non, non. Mais regarde bien la bouteille. Elle est juste au bord de l'atlas.

— Il n'empêche qu'elle est pointée dans ta direction.

....

72. Aujourd'hui, j'échoue lamentablement au test du crayon. Il reste solidement coincé sous mon sein. Mais cet été-là, mes nénés commençaient tout juste à pousser et ne retenaient pas l'objet.

73. Je me demande si je ne devrais pas chercher ses coordonnées sur Internet et lui envoyer un e-mail : « Chère Patricia Rodriguez. Je suis désolée d'avoir raconté à tout le monde que tu avais échoué au test du crayon. Mes propres seins sont aujourd'hui extrêmement flasques et je comprends ce que tu as pu ressentir. Je n'aurais jamais dû faire une chose pareille. S'il te plaît, pardonne-moi. Ruby Oliver. »

Tout le monde s'est tourné vers Michael Malone, l'un des trois garçons physiquement répugnants, qui venait de faire tourner la bouteille. Il a haussé les épaules.

— La position me paraît tout à fait valable, a-t-il dit.

— Hou, hou, Michael et Ruby ! a scandé quelqu'un, de l'autre côté du cercle.

— Hou, hou, ont répété tous les autres participants.

— Allez, Ruby, a dit Patricia avec une pointe de sadisme. Ne fais pas ta gamine.

— Hou, hou, Michael et Ruby !

Je suppose que Malone était un spécimen physiquement acceptable pour la majeure partie de l'assistance. Un peu comme moi. Je crois que je ne suis pas mal, mais ce garçon qui me traitait de binoclarde me trouvait repoussante. Comme Adam Cox, la sirène. Et sans doute bien d'autres garçons sans que j'en aie conscience. C'est une question de goût, et je suis sûre qu'il était parfaitement potable selon des critères objectifs. Mais il me dégoûtait pour les raisons suivantes :

1. Il sécrétait trop de salive, et on avait l'impression qu'il devait l'avaler en permanence pour éviter de baver accidentellement.

2. Ses jambes étaient déjà très poilues, et l'un de ses genoux, couvert de poils noirs, sortait par un trou de son jean. On aurait dit un rat crevé.

3. Il avait des boutons, ce qui ne me dérangeait pas généralement, mais il en avait dans la nuque, ce qui me faisait horreur.

4. Son nez était retroussé, et je sais que pas mal de filles trouvaient ça mignon, mais, très franchement, je pensais qu'il ressemblait à un cochon.

Je me suis avancée dans les sous-bois obscurs en compagnie de ce garçon porcin, au genou semblable à un cadavre de rongeur, au cou boutonneux et à la bouche baveuse.

— Hou, hou, Michael et Ruby !

Je savais que tout le monde pouvait me voir dans l'obscurité à cause de ma chemise de nuit blanche. Je me suis glissée derrière un arbre, en me tenant aussi loin que possible de Michael. Il a posé une grande main glacée sur mon épaule, a écrasé ses lèvres sur les miennes puis s'est mis à osciller la tête, comme dans les films.

J'ai rejeté ma tête en arrière.

Nos bouches n'étaient même pas ouvertes, et il y avait déjà trop de salive.

Comme je ne voulais pas toucher sa nuque boutonneuse, j'ai posé mes mains sur ses épaules. Il avait une haleine de dentifrice, mais lorsque j'ai ouvert les yeux l'espace d'une seconde, j'ai vu son nez de cochon en gros plan, devant mes yeux.

Finalement, c'était un peu comme une visite chez le dentiste. Quelque chose de désagréable se passait dans ma bouche, un visage étranger était collé au mien et je n'avais rien d'autre à faire que de fermer les yeux, de respirer par le nez et de penser à autre chose. Ma mère allait-elle m'envoyer un colis ? Se rappellerait-elle que je déteste les chips striées ? De quelle couleur peindrais-je ma poterie le lendemain ?

Au bout de sept minutes qui m'ont paru sept heures, quelqu'un a crié :

— C'est bon, vous pouvez revenir.

Michael a fait un pas en arrière.

— Tu embrasses bien, a-t-il chuchoté.

Ces paroles m'ont fait plaisir. Puis je me suis dit que c'était impossible, vu que je n'avais pas cessé de penser à la poterie et aux chips, en remuant occasionnellement la tête et en priant pour que le supplice touche à sa fin. Mais au moins, il n'irait pas raconter à ses copains que j'étais nulle.

Dès le lendemain, je me suis fait dispenser de *faire tourner la bouteille*. De toute façon, la colère vengeresse de Patricia avait fait de moi une lépreuse. Je ne me sentais plus sous pression. La nuit suivante, j'ai prétendu être fatiguée, et personne ne m'a tirée du lit pour me forcer à y aller. J'ai évité de croiser le regard de Michael, je me suis concentrée sur la poterie et j'ai compté les jours (dix) qu'il me restait à tirer avant de rentrer à la maison.

J'étais donc peu expérimentée en matière de baisers lorsque mon histoire avec Jackson a commencé. Mais dès que nous sommes sortis ensemble, c'est devenu une chose tellement habituelle que je n'y pensais même pas (j'ai juste délaissé les chewing-gums à la fraise pour les chewing-gums à la menthe). Jackson me touchait beaucoup la poitrine. J'ai acheté deux nouveaux soutiens-gorge qui s'ouvraient par-devant pour qu'il puisse y accéder plus facilement.

Mais c'est tout. Il ne m'était jamais venu à l'idée d'aller plus loin. Jackson avait l'air très satisfait. Il ne laissait jamais ses mains s'aventurer plus bas que mon nombril et il n'avait jamais retiré complètement mon T-shirt.

Maintenant, essayez d'imaginer ce que j'ai ressenti ce lundi matin-là, treize jours après l'appel téléphonique de Kim. J'avais eu mes premières crises d'angoisse, j'avais commencé à voir le docteur Z et j'étais devenue une lépreuse à cause de la débâcle du bal de printemps et de la catastrophe de la photocopie (ne vous inquiétez pas, vous comprendrez bien assez tôt).

Je montais les marches du lycée, préoccupée par mes problèmes, n'ayant rien fait du week-end à part regarder des vidéos avec ma mère, lorsque Katarina m'a appelée par mon nom, ce qu'elle ne faisait pratiquement jamais. Elle avait plein de nouvelles. Lors de sa soirée de samedi[74], elle et Heidi étaient entrées à l'improviste dans la chambre d'amis. Elles avaient surpris Kim et Jackson tout nus sur le canapé. Heidi était effondrée. Katarina et Arielle étaient furieuses

---

74. Quelle soirée ? Une preuve de plus que j'étais devenue une lépreuse. En plus, elle m'a parlé comme s'il était inimaginable que je me sente blessée de ne pas avoir été invitée. Comme si je devais trouver parfaitement naturel de ne pas avoir été mise au courant ! Gulp ! Et puis elle aurait pu me raconter ce qui a suivi avec des pincettes. Je n'étais une lépreuse que depuis neuf jours. Je n'avais pas encore eu le temps de m'habituer.

contre Kim. N'éprouvait-elle aucun sentiment ? C'était vraiment dégueulasse de faire une chose pareille alors qu'Heidi se trouvait à quelques mètres de là, et juste après avoir rompu avec moi.[75]

— Ils étaient nus ? ai-je dit en manquant de m'étouffer.

— Complètement. Il avait son *truc* à l'air, et tout ça. Je l'ai vu de mes yeux. Bon, tu es sortie avec lui, je n'ai pas besoin de te faire un dessin[76].

— Comment ont-ils réagi ?

— On a tout de suite refermé la porte. Ils sont sortis de la chambre une heure plus tard. Ça a bien fait rire tout le monde, sauf Heidi qui sanglotait dans le jacuzzi. Arielle a dû la raccompagner.[77] J'ai pensé que tu aimerais être au courant.

....

75. Pourquoi diable Heidi se mettait-elle dans un tel état à propos de Kim et Jackson ? À ce moment-là, ça faisait *six mois* que leur petite affaire de deux mois était terminée. Et même si ce qu'elle avait vu l'avait rendue dingue, ce qui était parfaitement compréhensible, pourquoi Katarina prenait-elle la peine de m'en informer ? Je me sentais encore plus mal, si c'était humainement possible. D'un côté, il y avait Heidi, effondrée à cause d'un garçon avec qui elle était sortie des siècles auparavant et soutenue par des amies toutes griffes dehors. De l'autre, moi, la véritable victime de toute cette affaire, dont tout le monde se fichait.
76. Quoi ? Elle pensait que j'avais déjà vu le *truc* de Jackson ? Elle pensait vraiment que ça m'enchantait de savoir qu'*elle* l'avait vu ?
Décidément, je ne comprends absolument rien aux autres êtres humains. Mon état de lépreuse me convient parfaitement, si je n'ai d'autre alternative que de devenir l'amie de Katarina.
77. Heidi avait dû *le* voir, elle aussi ! Sinon, qu'est-ce qui ferait penser à Katarina qu'elle n'avait pas besoin de me faire un dessin ? Elle devait penser que c'était une chose parfaitement normale lorsqu'on sortait avec Jackson.

— Merci, ai-je dit.[78]

Katarina a jeté son sac sur l'épaule et s'est dirigée vers le gymnase. Je l'ai regardée s'éloigner, pétrifiée.

Pourquoi l'avais-je remerciée ? Ces histoires à propos de Kim et de Jackson se roulant tout nus sur un canapé étaient les dernières choses que je souhaitais entendre.

Tout nus, tout nus, tout nus.

Mon cœur battait à tout rompre. J'étouffais. Je me suis assise sur les marches et j'ai essayé de respirer en pensant à un champ paisible et à des papillons joyeux.

Ça n'a pas marché.

Tout à coup, j'ai bondi sur mes pieds et couru vers Katarina.

— Écoute-moi bien. Ne me parle plus jamais de ce genre de trucs.

— Quoi ? a-t-elle dit, l'air choquée.

— Tu prétends être sympa, vouloir me tenir au courant, mais, en fait, tu fais tout pour que je me sente plus bas que terre.

— Ne le prends pas comme ça.

— Ne me dis pas comment je dois me comporter. Es-tu trop stupide pour réaliser que ça me rend dingue

----

78. Pourquoi pas moi ? Ne m'aimait-il pas autant que ses autres copines ? Étais-je moins attirante qu'elles ? Ruby Oliver, pas vraiment le genre de fille à qui on laisse toucher son *truc*. Ruby Oliver, pas suffisamment excitante pour qu'on fasse valser sa culotte. Ruby Oliver, embrasse bien, mais pas de quoi se rouler nu avec elle sur un canapé. Ça m'a tuée.
Je ne dis pas que j'en ai eu envie, mais pourquoi pas moi ?

d'entendre parler de Kim et Jackson ? Que ça m'empoisonnait déjà la vie, et qu'il n'était pas nécessaire d'en rajouter avec des images horribles de corps nus et de *trucs* auxquels je préfère ne pas penser ?

Katarina a poussé un soupir.

— Ne t'en prends pas à moi parce que Jackson t'a plaquée. Ce n'est pas ma faute.

— Ouais, mais c'est ta faute si je pense à eux deux tout nus, maintenant ! ai-je hurlé. La prochaine fois que tu as des informations dans ce genre, tu te les gardes !

— Ça, tu peux me faire confiance, a-t-elle lâché.

Elle a tourné les talons et s'est engouffrée dans le gymnase.

Je n'étais pas très fière de moi.

Mais, ô surprise, mon cœur battait à un rythme normal et mes poumons fonctionnaient à merveille.

10. Angelo (mais c'était juste mon cavalier)

Je suis devenue une lépreuse parce que j'ai accepté d'aller au bal de printemps avec Jackson, alors qu'il avait rompu avec moi et qu'il sortait toujours avec Kim. Tout est de ma faute. J'étais encore follement amoureuse de mon ex-petit ami ; il voulait m'emmener au bal ; c'était seulement la deuxième soirée officielle où je me rendais accompagnée. Et puis, tout me semblait encore possible. Peut-être réaliserait-il, en me voyant dans ma nouvelle robe, qu'il avait commis une lourde erreur. En fait, je suis certaine que n'importe quelle fille aurait agi comme moi dans une telle situation.

Le premier bal où je me suis rendue se déroulait au lycée Garfield, l'établissement public devant lequel nous passions pour aller au restaurant chinois préféré de mon père. C'est là qu'était scolarisé Angelo, le fils de Juana, l'amie de ma mère (la dramaturge avec ses treize chiens et ses quatre ex-maris).[79] Il a un an de

---

[79]. « Hé ! une seconde ! t'exclames-tu, lecteur attentif. N'as-tu pas parlé d'Angelo lors de ta première visite chez le docteur Z ? Quel rôle joue-t-*il* dans cette histoire ? »

plus que moi. Je ne l'avais rencontré que trois ou quatre fois auparavant, lors de dîners chez sa mère. Je crois qu'il vit chez son père, car il n'est pratiquement jamais là quand maman et moi allons chez Juana.

Angelo était plutôt pas mal. Il avait de grands yeux noirs et des cheveux frisés. Un visage rond, un peu plat. Il avait l'air serein. Il s'habillait vaguement hip-hop, une mode qu'aucun élève de Tate n'avait jamais adoptée.

Lors de ces dîners, nous quittions généralement la table le plus vite possible pour regarder la télé. Il ne parlait pas beaucoup, sans doute parce que Juana ne laissait personne en placer une et qu'il était de toute façon impossible d'avoir une discussion digne de ce nom, à cause des aboiements incessants des chiens.

Un bal allait se dérouler à Garfield, et je suppose qu'Angelo cherchait une cavalière. C'était étrange, vu que son lycée accueillait près de mille cinq cents élèves et qu'il était plutôt mignon. Il ne m'a pas invitée directement : Juana a appelé ma mère, laquelle s'est chargée de me demander si j'acceptais de l'accompagner.

J'ai dit oui. Pas à cause d'Angelo, mais parce que je mourais d'envie d'aller à un bal.

Mais pourquoi m'avait-il choisie ?

Angelo était-il un *loser* rejeté par toutes les filles de Garfield ? Excluait-il d'inviter une fille parce qu'il était *gay* ? Juana se plantait-elle sur toute la ligne en essayant de se rendre utile ? Ma mère avait-elle confié à Juana que je ne plaisais pas aux garçons, et avait-il été encouragé à m'inviter par bonté d'âme ? Était-il dingue d'une fille que sa mère n'aimait pas ? Avais-je été choisie pour l'en distraire[80] ?

Ma mère m'a annoncé qu'il viendrait me chercher à huit heures. Elle m'a dit de ne pas m'inquiéter, mais je me suis rongé les sangs pendant les deux semaines qui ont précédé la soirée. J'avais dépensé tout l'argent de mon baby-sitting pour m'acheter une robe de soie jaune années cinquante, avec des franges façon spaghetti. Mais de quoi aurais-je l'air, toute pomponnée pour le bal, s'il ne venait pas ? Que se passerait-il s'il avait été forcé de m'accompagner contre son gré ? Et s'il se montrait désagréable ou m'abandonnait pour finir la soirée avec une autre ? Et si c'était une situation à la Stephen King[81] ?

Ma mère m'a suppliée de me calmer. Mon père m'a demandé au moins seize fois si je voulais parler de ce que j'éprouvais.

Le jour du bal, Angelo est arrivé à l'heure, vêtu d'un costume bleu, un énorme bouquet de roses jaunes dans les bras. Mon père a pris des photos. Sa mère nous a accompagnés. Elle est restée très discrète, comme un

---

80. Le docteur a ajouté la possibilité suivante : « Peut-être que tu lui plaisais. Peut-être qu'il rêvait de t'emmener au bal, mais qu'il était trop timide pour te le proposer ? »
Je jure sur ma propre tête que je n'avais même pas envisagé cette hypothèse.
81. Stephen King a écrit un roman terrifiant intitulé *Carrie*. C'est l'histoire d'une fille dont tout le monde se moque. Un jour, elle se retrouve invitée au bal de promotion par le garçon le plus populaire du lycée. Et puis elle reçoit un seau de sang de porc sur la tête et réalise que tout ça n'était qu'une gigantesque blague. Brian De Palma en a fait un film.

chauffeur. Comme il y avait deux terriers et un gros chien très poilu sur la banquette arrière, nous nous sommes tassés à l'avant. Juana n'a pas exigé que nous attachions notre ceinture de sécurité.

Le bal se déroulait dans un gymnase, avec des lumières tamisées et des décorations un peu partout. Angelo et moi n'avons pas beaucoup parlé. Il est allé me chercher un verre de punch. La plupart des filles portaient d'étroites robes noires et des talons hauts. Je me sentais un peu niaise, jeune et décalée dans ma robe jaune à amples volants. Comme la musique était chouette, nous avons dansé. Nous nous sommes même offert un slow. C'était étrange, mignon et maladroit de se tenir ainsi les mains en se balançant de gauche à droite.

Mais la fête s'est éternisée. Vers vingt heures quarante-cinq, nous avions déjà dansé, fait le tour de la piste en marchant, bu du punch, dansé un slow, refait le tour de la piste, discuté avec ses amis (mais la musique était trop forte pour entretenir une conversation intelligible). Bref, nous avions épuisé toutes les possibilités. Nous avons dansé encore quelques minutes, puis je suis sortie prendre l'air. Je me suis ennuyée à mourir de vingt heures quarante-cinq à vingt-deux heures trente, lorsque Juana est venue nous chercher. Je me suis assise sur les genoux d'Angelo, car un labrador obèse, un border collie et un doberman à l'air teigneux occupaient désormais la banquette arrière.

Voilà, c'est tout. Je n'ai revu Angelo qu'à l'occasion d'un autre dîner chez Juana. Nous avons regardé la télé, comme d'habitude.

Étrangement, cette expérience anxiogène et prodigieusement ennuyeuse n'avait pas entamé mon désir de me rendre à un autre bal. J'aurais adoré aller à la fête de fin d'année de troisième, mais personne ne m'a invitée. Alors, forcément, j'étais tout excitée que Jackson m'accompagne. Même si j'ai fini par lui mentir, comme d'habitude, en lui cachant que j'étais blessée qu'il ne m'ait pas invitée *officiellement*. *Officiellement* ! Franchement, ne doit-on pas faire une demande *officielle* pour inviter quelqu'un à un bal *officiel* ? Pete avait invité Cricket. Bick avait invité Melissa. Sean avait invité Kim. Nora avait invité Matt, le copain de Jackson. Eh, oh ? Était-ce trop demander ? Non, je ne crois pas.

Mais Jackson semblait considérer que c'était évident. Le bal devait avoir lieu un vendredi, trois semaines plus tard. Je pensais qu'il prenait son temps, qu'il allait m'inviter dans quelques jours, peut-être le lundi, donc je ne me faisais pas de souci. C'est sans doute ce que j'aurais fait si j'avais eu à l'inviter[82]. Donc, j'ai attendu.

Et attendu.

Et attendu.

Une semaine s'est écoulée, et il ne s'était toujours pas déclaré. Cricket, Kim et Nora sont allées s'acheter

---

82. — Pourquoi ne l'as-tu pas invité ? a demandé le docteur Z.
— Gulp, ai-je murmuré. Je devine toujours ce que vous allez dire.
— Alors, c'est que tu fais des progrès, a-t-elle conclu.

des robes, et je les ai accompagnées. J'ai essayé des trucs, puis j'ai dit que je ferais le tour des friperies le lendemain avec ma mère.

Mais c'était faux.

Au milieu de la deuxième semaine, cinq jours avant qu'il ne me quitte, Jackson et moi discutions avec Matt et Nora pendant le déjeuner.

— Eh, Ruby, a dit Jackson. Après le bal, tu ne voudrais pas qu'on aille finir la soirée chez toi, sur le quai ? Le yacht est tout près.

— Oh hum, oui, bien sûr, ai-je répondu.

Et c'est comme ça que j'ai su que j'étais invitée. J'ai couru chez *Zelda's Closet*, et j'ai emprunté quatre-vingt-cinq dollars à ma mère pour m'offrir cette super robe fourreau années soixante-dix, soit quatorze heures de baby-sitting avec ce gamin qui me vomit dessus à chaque fois que je le vois.

Puis Jackson a rompu avec moi. Après avoir pleuré pendant des heures seule dans ma chambre, j'ai vu un pan de ma robe dépasser de la penderie et ça a fait redoubler mes larmes. Je n'avais plus aucune raison de la porter. Elle allait me coûter un mois de salaire. Je n'arrivais pas à croire qu'il m'avait laissée m'enthousiasmer pour ce bal et acheter ce vêtement alors qu'il était sur le point de me larguer.

Mes parents pouvaient m'entendre sangloter à travers la cloison. Maman est venue frapper à ma porte.

— Ruby, sors de ta chambre et viens dîner avec nous. J'ai préparé du tofu et du chou-fleur.

— Elaine ! a protesté mon père. Respecte son intimité.

— Ça fait quatre heures qu'elle est enfermée, Kevin.

— Ruby ? a demandé mon père. Tu ne veux pas qu'on en discute ? On peut peut-être t'aider.

— Jamais elle ne nous parlera. Mets-toi ça dans le crâne. C'est une ado. Tout ce que nous pouvons espérer, c'est parvenir à lui faire avaler quelques protéines.

— Chérie, tu veux qu'on en parle tous les deux ? Ta mère n'entrera pas dans la chambre.

— Kevin !

— Elaine, tu sais bien que tu rends toujours les choses plus compliquées. Tu devrais peut-être rester en dehors de tout ça.

— Ruby, si c'est une histoire de fille, tu sais que je suis là pour t'aider.

Et cætera, et cætera. J'ai fini par me coller mes écouteurs sur les oreilles pour ne plus les entendre.

Mardi soir[83], mes parents m'ont emmenée dîner chez Juana. Elle vit dans une maison délabrée dont chaque centimètre carré est couvert de poils de chien. Je mets toujours un vieux jean quand je vais chez elle, et surtout pas de noir, parce que je serais poilue des pieds à la tête. Ma mère m'a forcée à y aller. Moi, je voulais rester à la maison à guetter le téléphone dans l'espoir que Jackson m'appelle, mais elle a dit que je devais me « resociabiliser ».

....

83. C'est mercredi que j'ai découvert la vérité sur Kim et Jackson, donc, à ce moment, là, j'étais encore dans le brouillard.

C'était l'un des premiers jours agréables du printemps. Angelo était dehors, sur la pelouse devant chez Juana, occupé à jeter des bâtons à sept chiens à la fois. Il avait une technique pour lancer ses projectiles sans interruption, et les chiens devenaient cinglés. Il était plus grand que la dernière fois. Il avait laissé pousser ses cheveux et ils frisaient légèrement. Il portait un maillot de foot XXL et des baggys.

— Ruby a le cœur brisé, a annoncé ma mère. Son copain l'a quittée. Angelo, remonte-lui le moral. Ruby, aide-le à lancer ses bâtons.

— Elaine ! a protesté mon père. Quand apprendras-tu à respecter la vie privée de ta fille ?

— Les gens ne devraient pas avoir de secrets, a répliqué ma mère. En plus, il le sait sans doute déjà. Je ne cache rien à Juana.

— Elaine !

— Quoi ? s'est-elle exclamée, une main sur la poitrine, comme pour protester de son innocence. C'est ma plus vieille amie !

— Eh, Ruby, a dit Angelo. J'ai une technique. Regarde.

— Tu vois ? a fait remarquer ma mère. Il veut l'aider. Vas-y, Ruby. On se retrouve à l'intérieur.

Ils ont gravi les marches du perron. Mon père continuait à parler à ma mère à voix basse.

Angelo et moi avons joué avec les chiens quelques minutes. Mes mains étaient couvertes de bave. Nous n'avons pas beaucoup parlé, mais il m'a fait observer le comportement d'une petite chienne nommée Skipperdee. À chaque fois qu'elle lui ramenait un bâton, il devait la soulever et la coincer sous son bras gauche pour lui faire lâcher l'objet, et en même temps lancer un autre bâton pour éloigner les autres chiens. Lorsqu'elle laissait tomber sa proie, il la ramassait de la main droite, reposait la chienne sur le sol, lançait le bâton et la regardait s'éloigner au triple galop. Il avait également une méthode pour lancer deux bâtons à la fois, de façon à ce que les plus petits chiens aient une chance face aux labradors, qui ne faisaient pas dans la dentelle.

Puis nous sommes entrés nous mettre à table. Papa et moi avons mangé jusqu'à ce que nos ventres soient tendus à craquer, parce que Juana est une excellente cuisinière et que nous n'avions mangé que de la bouillie macrobiotique et des céréales depuis plusieurs semaines[84]. Ma mère a mangé comme une ogresse, avec une expression innocente, comme si les plantains frits, les crevettes épicées (auxquelles je n'ai pas touché), le jambalaya de légumes et la crème glacée aux noix de pécan faisaient partie de son régime habituel.

— Ruby n'a pas de cavalier pour aller au bal de printemps samedi soir, a-t-elle déclaré tandis que nous mangions le dessert sous le porche, parmi les chiens

---

84. J'avais espéré que mes peines de cœur me feraient perdre l'appétit, comme une héroïne de roman, et que je serais rapidement maigre à faire peur. Jackson m'aurait alors trouvée pâle, presque fantomatique, et il aurait réalisé qu'il m'avait mortellement blessée. Mais non. En fait, mon estomac n'est absolument pas connecté à mon cœur. Je pouvais m'alimenter de façon tout à fait normale, à condition qu'il y ait de la nourriture comestible à la maison.

qui se soulageaient sur la pelouse. Ça aura lieu sur un bateau. Elle a une robe magnifique, mais pas de cavalier.

— Maman !

J'aurais voulu mourir.

— Angelo pourrait l'accompagner, a dit Juana, en saisissant l'occasion au bond. Il ne fait rien samedi.

— Maman !

(Cette fois, c'était Angelo.)

— Qu'est-ce qu'il y a, mon cœur ? Tu pourrais accompagner Ruby à ce bal. Elle est allée avec toi à cette fête, l'année dernière. Je suis sûre que ça pourrait être sympa.

J'ai regardé Angelo, certaine qu'il serait terrifié à l'idée d'être coincé sur un bateau avec des élèves du privé qu'il ne connaissait même pas.

— C'est d'accord, a-t-il dit en souriant. Ça me dirait bien.

— Oh. Hum. Merci.

— Il faudra que je mette un costume, c'est ça ?

— Hum, ouais.

— OK. C'est à quelle heure ?

— Huit heures et demie. Le bateau lève l'ancre à neuf heures.

— Non, non, Ruby, a dit ma mère. Vous devriez aller dîner avant. C'est ce qui était prévu, n'est-ce pas, ma chérie ?

Angelo a pouffé et m'a lancé un regard qui signifiait clairement : « Nos mères sont bonnes pour l'asile. » Mais il a dit :

— C'est d'accord. Tu aimes la cuisine italienne ? Je connais un super restau.

— Je vous prêterai le break, a dit Juana.

— Je viendrai te chercher à sept heures, a ajouté Angelo.

Parfait. J'avais un cavalier pour le bal de printemps, même si je l'avais obtenu de la façon la plus embarrassante qui soit.

Je me suis sentie mieux toute la journée de mercredi.

Jusqu'à ce que Kim m'appelle dans la soirée pour m'annoncer qu'elle sortait avec Jackson.

Ensuite, tout s'est embrouillé dans ma tête, comme si j'avais un rhume carabiné, et j'ai senti un grand vide dans ma poitrine. J'étais sous le choc. Tout me semblait flou, et ma gorge était si serrée que je pouvais à peine parler. Heureusement, j'avais encore des amies. Les deux jours suivants, Nora (qui avait son permis) m'a emmenée manger des frites loin du lycée. Ainsi, je n'ai pas eu à m'asseoir avec Kim, ni à croiser Jackson au réfectoire.

Cricket et Nora semblaient persuadées que tout rentrerait dans l'ordre dès que j'aurais surmonté le choc. Nora me préparait des gâteaux et passait fréquemment son bras autour de ma taille. Elle m'a offert une photo encadrée de nous deux à un match de lacrosse. Cricket faisait tout pour que nos conversations ne dérivent pas sur l'affaire Jackson et elle découpait des bandes dessinées dans le *New Yorker* qu'elle déposait dans ma boîte. Elles étaient contentes pour Kim et tristes pour moi. Elles s'imaginaient que j'étais trop déprimée pour la fréquenter pour le moment, mais que tout serait oublié au bout d'une semaine ou deux.

Mais je ne pouvais même pas supporter la vue de Kim. Je me sentais tellement trahie. Je l'évitais à tout prix, quitte à changer de place à tous les cours. À chaque heure qui passait, je sentais ma tristesse s'évanouir et faire place à la colère. Malgré les précautions qu'elle avait prises en m'avouant tout au téléphone et en n'embrassant pas Jackson avant qu'il ait rompu avec moi, je ne parvenais pas à lui pardonner. Je pensais que c'était une garce, une menteuse, une manipulatrice et une voleuse d'homme. J'aurais voulu la voir tomber dans le cratère d'un volcan en éruption et disparaître dans d'atroces souffrances.[85]

J'ai gardé tout ça pour moi afin de conserver le peu de dignité qui me restait.

Le vendredi qui a précédé le bal, il n'y avait personne pour me raccompagner après mon entraînement de lacrosse. C'est Jackson qui s'en chargeait depuis des mois, et j'étais dans un tel état de misère et de confusion que je n'avais même pas pensé à demander à l'une de mes partenaires dans les vestiaires. Je suis sortie la dernière et j'ai réalisé que j'étais seule.

----

85. Le paragraphe ci-dessus est le produit de quatre mois de thérapie à raison de deux séances par semaine. Exprimer ses sentiments ! Ouais ! Quitte à paraître vindicative, rancunière et totalement déséquilibrée !

J'ai appelé chez moi depuis le téléphone à pièces. Mon père m'a dit qu'il arrivait, mais pas avant quarante minutes vu que c'était l'heure des bouchons. Je me suis assise sur mon sac à dos et j'ai essayé de travailler à mon devoir de français alors que la nuit commençait à tomber. J'ai rédigé quatre lignes et je me suis mise à pleurer.

J'étais assise par terre, avec des larmes qui roulaient sur mes joues, sans même prendre soin de cacher mon visage.

C'est alors que j'ai vu la Dodge de Jackson ralentir devant le gymnase. Je me sentais minable, à pleurer là toute seule, même si, je dois l'admettre, quelque chose en moi espérait qu'il réaliserait enfin à quel point j'étais désespérée et que j'étais la femme de sa vie. Je me suis concentrée sur mon cahier de français en m'efforçant de respirer calmement. Jackson s'est arrêté à mon niveau, a baissé la vitre et s'est penché à la fenêtre du passager :

— Eh, Ruby, j'espérais bien te trouver là.

— Ah bon ?

— Tu veux pas qu'on aille faire un tour ? Je te ramène chez toi, si tu veux.

— Mon père arrive. Il est juste un peu en retard.

— Comment tu vas ?

— Bien, ai-je menti.

— Tu as le temps de discuter ?

Il s'est assis près de moi et s'est adossé au mur de briques rouges du gymnase.

— Bien sûr. De quoi tu veux qu'on parle ?

— Je me fais du souci pour toi. Je ne t'ai pas vue depuis des semaines.[86]

— Je vais bien, je te dis.

— Ce n'est pas l'avis de Nora.

— Je suis quand même mieux placée qu'elle pour en juger, OK ?

— Et Kim est désespérée que tu ne lui parles plus.

— Pauvre chérie, ai-je lâché d'un ton fielleux.

— Ruby, ne le prends pas comme ça. Je veux juste être certain que tu vas bien. Je tiens beaucoup à toi.

— D'accord.

— Tu me crois, n'est-ce pas ? J'espère que tu n'es pas trop triste à cause de tout ça.

— Et si j'étais trop triste, qu'est-ce que tu ferais ?

— Je ne sais pas. On était si proches. C'est dur pour moi de te voir comme ça.

---

86. Vous savez quoi ? À ce moment-là, j'ai cru qu'il était réellement touché. Mais maintenant, quand je repense à cette scène, ça me rend folle de rage. Il essayait de se montrer compréhensif et réconfortant alors qu'il était l'unique cause de mon malheur. Qu'est-ce que ça signifiait ? Je trouve ça complètement tordu. Voilà le paragraphe que j'aurais ajouté au *Grand Livre des garçons* si seulement je n'avais pas été virée du comité de rédaction : *De l'art de plaquer : quelques conseils pour les garçons.*
1. Si tu plaques une fille, qu'elle est désespérée et que tu n'envisages pas de te remettre avec elle, évite de la harceler en prétendant que tu t'inquiètes pour elle. Sauf si tu divorces et que tu l'abandonnes avec vos trois enfants. Contente-toi de la laisser tranquille, sauf si elle veut te parler. Tu ne peux pas la réconforter. Tu es l'ennemi. Mets-toi ça dans le crâne et essaye juste de ne pas te comporter comme un minable avec ta nouvelle copine.
2. Ne porte pas le jean dans lequel elle te trouve craquant tant que tu n'as pas la certitude qu'elle a fait son deuil.
3. Ne lui dis pas que tu la trouves mignonne.
4. Et ne la soumets pas à la tentation.

— Oh, comme c'est touchant.

— Écoute, on peut aller au bal de printemps ensemble, si tu veux. Ça me ferait plaisir, vraiment. Ça te dirait ?

— Tu n'y vas pas avec Kim ?

— Elle est à la campagne avec sa famille. Elle est partie cet après-midi.

— Et elle est d'accord ?

— Oui. Elle pense que ça pourrait te remonter le moral. Elle est tellement désolée que tu le prennes si mal.

Je n'ai rien dit.

— On irait en amis, a ajouté Jackson.

— J'avais compris, merci.

— Oh, ne sois pas sarcastique avec moi, s'il te plaît. Laisse-moi t'accompagner. Tu pourras mettre ta robe. En souvenir du bon vieux temps[87].

Bref, on a continué à discuter comme ça un moment. Le pire, c'est que j'ai accepté, sans même songer à Angelo, ou à Kim, ou à ce que les autres penseraient. Tout ce que je voyais, c'est que Jackson ne m'avait pas oubliée, qu'il tomberait sans doute à nouveau amoureux de moi en me découvrant dans ma robe argentée, et que nous pourrions marcher tous les deux sur le pont du bateau, en regardant l'image de la lune se refléter sur les eaux noires du lac Union.

---

87. Exactement ce qu'il avait dit en parlant d'Heidi ! En plus, « le bon vieux temps » faisait référence à une période achevée depuis *six jours* ! Mais je ne remarque ces choses que maintenant, avec le recul. À ce moment-là, j'étais complètement inconsciente.

11. Shiv (mais c'était juste un baiser)

Je suppose que Shiv Neel peut être considéré comme mon premier petit ami officiel. C'est incontestablement le premier garçon que j'ai embrassé volontairement, et il aurait sans doute pu me désigner publiquement par les mots « petite amie ». Sauf que notre histoire n'a duré que vingt-quatre heures. Donc, même si tous les élèves du lycée savent que nous sommes sortis ensemble, je ne suis pas sûre qu'il compte. D'ailleurs, cette affaire est plutôt consternante, car, tout comme Jackson, il m'a plaquée sans que je m'y attende.

Est-ce une malédiction ? Suis-je condamnée à me faire larguer sans préavis jusqu'à la fin de mes jours ?[88]

----

88. Docteur Z : — Si tu suis une thérapie, c'est pour découvrir tes mécanismes de répétition. Lorsque tu les auras identifiés, tu pourras commencer à changer ton comportement, si tu le désires.
Moi : — Mais ce n'est pas un mécanisme de répétition. Ce sont des choses que les gens me font, et dont je suis victime.
Silence gêné du docteur Z.
Moi : — En quoi découvrir qu'il s'agit d'un mécanisme de répétition pourrait-il m'aider ? Tout ça m'arrive sans préavis. Je ne vois jamais rien venir. Comment est-ce que je pourrais intervenir ?
Un silence encore plus gêné, ce qui n'est pas peu dire. ☛

En novembre dernier, Shiv et moi avons été désignés pour interpréter une scène en cours de théâtre. Pendant quelques jours, à l'heure du déjeuner, nous nous sommes retrouvés dans une salle de classe vide pour répéter. C'était (et c'est toujours) un garçon d'origine indienne avec un long nez et les plus grands yeux noirs que j'aie jamais vus. J'étais fascinée par son regard. Il était plutôt populaire. C'était un ami de Pete (le copain de Cricket) et de Billy Krespin. Il jouait au rugby et au basket. Maintenant, il sort avec Arielle Oliveri. J'étais contente de jouer une scène avec lui. Je l'avais toujours trouvé craquant.

Inutile de rentrer dans les détails : nos conversations, les petits mots ambigus qu'on s'envoyait pour fixer nos répétitions ; les boulettes de papier dont nous constellions le bureau du prof ; le jour où il a passé son bras autour de mon cou pendant une projection (mais dans le noir, donc personne n'a rien vu). Tout ça n'a pas grand intérêt. Ce qui est important, c'est qu'un jour, au beau milieu d'une réplique, il a jeté son texte sur le sol, m'a regardée droit dans les yeux et a déclaré :

— Ruby, j'ai un truc à te demander. Est-ce que tu veux être ma petite amie ?

— Oui, ai-je répondu.

Alors il m'a embrassée. Pour de bon. En passant ses bras autour de moi. Tout mon corps s'est embrasé,

----

Moi : — Pourquoi est-ce que vous ne dites rien ?
Docteur Z : — Je te laisse tirer tes propres conclusions.

comme s'il avait actionné un interrupteur et m'avait « allumée ». Sa peau était si chaude. Il était si beau. « Oh, c'était donc ça », ai-je pensé. Je n'avais rien ressenti de tel avec Michael Malone, dans ce sous-bois, en chemise de nuit. Nous avons passé l'heure du déjeuner à nous embrasser contre la porte de la salle, afin que personne ne vienne nous déranger.

Petite amie ! J'étais la petite amie d'un garçon ! Et celle de Shiv, en plus, un garçon mignon, populaire, et qui embrassait comme un dieu !

Ensuite, c'est vrai, j'ai perdu toute dignité. Dès la fin des cours, j'ai couru retrouver Kim, Nora et Cricket sur l'agora pour raconter ce qui s'était passé. Elles étaient stupéfaites et surexcitées. Cricket faisait des bonds, littéralement.

— Shiv ! Ouah ! hurlait-elle.

— Il est *super*, a gloussé Nora.

— Vous l'avez vu dans sa tenue de rugby ? a demandé Kim. Voilà ce que j'appelle des jambes.

— Comment ça s'est passé ? a voulu savoir Cricket.

J'ai tout raconté dans les moindres détails.

Mais elles voulaient en savoir plus.

— C'était comment ?

— Électrique.

— Il sentait quoi ?

— La noix de muscade.

— Quel goût avait sa bouche ?

— Je ne sais pas. Un goût d'être humain, je suppose.

— Il t'a mis sa langue dans l'oreille ?

— Non ! C'est dégoûtant !

(Rires)

— Tu lui as attrapé les fesses ?

— Cricket !

— Moi, j'aurais adoré lui attraper les fesses.

(Rires hystériques.)

— Je ne suis pas très branchée fesses, ai-je avoué. Ça me semble beaucoup trop audacieux.

— Non, mais attends, pas tout nu ! a-t-elle crié. À travers le caleçon.

— Même. Attraper les fesses d'un garçon au premier baiser, c'est un peu *too much*.

— Oh, je pense que c'est réalisable avant même le premier baiser, a dit Cricket.

(Rires gras.)

— Tu les attrapes et tu les malaxes ? ai-je demandé.

— Bien sûr. Pourquoi pas ?

— Allez, arrête. Je ne te crois pas.

— Je te jure que je suis capable de le faire, a insisté Cricket. À travers le caleçon, je précise.

Bla bla bla.

Le jour suivant, je me suis pointée au lycée avec quatre fois plus de maquillage que d'habitude. Shiv se trouvait dans le couloir principal, devant sa boîte aux lettres.

— Salut, Shiv, ai-je dit.

Il s'est retourné et s'est éloigné sans dire un mot.

En poésie, il ne m'a même pas regardée.

Au déjeuner, il ne m'a pas adressé la parole. Il ne s'est pas assis à côté de moi. Mais Cricket, Kim et Nora avaient tout raconté aux autres filles. Du coup, j'étais trop occupée à répondre à l'interrogatoire d'Heidi, Arielle et Katarina pour réfléchir à la situation. En cours de théâtre, Shiv et moi avons joué notre scène.

— Qu'est-ce que tu en as pensé ? lui ai-je demandé après notre prestation.

— C'était pas mal, a-t-il répondu en regardant ses chaussures.

Sur ces mots, il a attrapé son sac à dos et s'est éloigné.

À la sortie des cours, je l'ai vu se diriger vers le bus.

— Shiv, attends-moi ! ai-je crié.

Il a continué à marcher sans se retourner.

À ce moment-là, il était évident qu'il avait changé d'avis. Je me sentais ridicule. L'avais-je embrassé si mal que ça durant notre séance derrière la porte ? (C'était tout à fait possible, vu que j'avais très peu d'expérience.)

Est-ce que je sentais mauvais ?

Est-ce qu'un truc embarrassant était sorti de mon nez à mon insu après ce baiser ?

Qu'est-ce que j'avais bien pu faire pour cesser si brutalement de lui plaire ?

J'y ai longuement réfléchi sans trouver de réponse. Je me sentais totalement minable. Il me plaisait tellement. Et puis voilà qu'il ne me supportait plus, sans aucun moyen d'en savoir plus. J'étais complètement désarmée.

Nous ne nous sommes plus parlé, à l'exception de quelques « salut » dans les couloirs.

Lorsque je lui ai raconté l'affaire Shiv, le docteur Z a affirmé que je devais lui demander de façon directe ce qui s'était passé. Enfin, elle n'a pas dit ça aussi clairement.

— As-tu un moyen d'en savoir plus ?

— Non.

Silence. Elle portait de nouveau son poncho.

— Bon, ai-je fini par dire au bout d'une minute. Je suppose que je pourrais effectivement lui demander. Mais plutôt mourir.

Re-silence. Ce poncho était vraiment atroce.

— De toute façon, je m'en fiche.

Du silence, encore du silence. Où cette femme achetait-elle ses vêtements ?

— Bon, en fait, non. Je ne m'en fiche pas. La vérité, c'est que ça me prend la tête. Il me plaisait. J'aurais voulu continuer à l'embrasser. On avait passé un bon moment tous les deux. La situation était vraiment humiliante. Tout le monde savait qu'on sortait ensemble. Cette rupture était si rapide. Je sentais que les gens parlaient dans mon dos.

— Est-ce que tu pourrais lui demander des explications ?

J'ai ignoré la question.

— Je commence à avoir l'habitude de me faire jeter sans avertissement. Ou d'aimer des garçons qui ne m'aiment pas, ou qui ne m'aiment pas assez, ou pas autant qu'une autre. Vous avez la liste devant vous : Hutch m'a plaquée pour Arielle, Gideon ne m'a jamais aimée, Ben ne savait même pas que j'existais, Sam avait une autre petite amie.

— Tu as l'habitude ?

— Exactement. Mais j'aimerais quand même bien pouvoir changer ce qui cloche chez moi.

« Un baiser innocent », ça n'existe pas. Celui que j'ai échangé avec Shiv a complètement changé ma vision des choses. Quand je suis allée au bal avec Jackson, nous avons échangé un « baiser innocent » qui a eu l'effet d'une bombe.

Lorsque Jackson m'a invitée, j'ai eu de nombreux coups de fil à passer. D'abord, j'ai appelé Angelo pour lui dire qu'il était inutile de venir me chercher. J'étais très nerveuse. C'était la première fois que je l'appelais, et c'était pour annuler un rendez-vous. Mais il a été très chouette.

— C'est normal que tu ailles à ce bal avec ton petit ami.

— Je ne suis pas certaine que ce soit mon petit ami.

— Peu importe. Fais ce que tu as à faire.

— OK.

Il y a eu un silence bizarre.

— Il y aura une fête chez moi après le bal, ai-je dit parce que je me sentais coupable. Vers onze heures. Tu n'as qu'à passer si tu es dans le coin.

— D'accord, a dit Angelo, sans doute pour se montrer poli.

— Tu ne devrais pas y aller, a dit Cricket lorsque je l'ai appelée. C'est beaucoup trop compliqué.

— On y va juste entre amis.

— Même.

— Kim a dit qu'elle était d'accord.

— Elle culpabilise à mort.

— Ah ouais ? On ne dirait pas.

— Fais-moi confiance. Je sais ce que je dis.

— J'y vais quand même. Ça va très bien se passer.

— Tu ne devrais pas y aller, a dit Nora lorsque je l'ai appelée.

— Je sais, mais j'en ai tellement envie. Je veux mettre cette robe.

— Tu peux la porter en venant avec Angelo.

— Je veux y aller avec Jackson. C'est ce qui a toujours été prévu. Il m'a invitée il y a très longtemps.

— Pas officiellement.

— Mais quand même.

— Tu cours à la catastrophe. Vous devriez peut-être venir dîner avec Matt et moi, ça vous évitera de faire des bêtises.

Nous sommes tous allés dîner au restaurant situé au sommet du Space Needle, une tour datant de l'exposition universelle de 1962. La salle tourne sur elle-même à 360 ° au cours du dîner. Ils ne servaient pas de nourriture végétarienne, donc j'ai choisi trois plats de garniture : des épinards à la crème, de la purée et de la salade. Puis nous avons pris la direction du port dans deux voitures différentes, et nous avons réussi à attraper le yacht juste avant qu'il ne lève l'ancre.

Voilà tout ce dont je me souviens à propos de ce bal : Cricket était magnifique, vêtue d'une robe rose, avec ses cheveux blonds coiffés en choucroute au sommet de son crâne. Nora était super sexy, avec une robe extrêmement courte et décolletée qui mettait en valeur ses gigantesques seins. Elle a pris plein de photos avec son Instamatic.

Jackson a saisi ma main tandis que nous dansions et m'a dit que j'étais jolie. Il n'y avait nulle part où s'asseoir. Lorsque l'orchestre a attaqué un slow, il m'a invitée et a posé sa joue contre la mienne, comme nous le faisions autrefois. Ensuite, il m'a proposé d'aller prendre l'air sur le pont. Il m'a pris dans ses bras pour me réchauffer. Nous marchions tous les deux, en regardant l'image de la lune se refléter sur les eaux noires du lac Union, exactement comme je l'avais imaginé. Jackson me parlait d'un dessin animé qu'il venait de voir.

Je ne l'écoutais pas.

Je regardais sa bouche et je sentais sa main tiède sur mon épaule glacée.

Puis j'ai fait la chose qui me semblait la plus naturelle au monde : j'ai posé une main sur sa nuque et je l'ai embrassé.

Puis à son tour, il a posé ses lèvres sur les miennes.

« Enfin, ai-je pensé. J'oublie tout. Il est revenu. Nous ne nous quitterons plus, désormais. »

Puis il m'a repoussée.

— Ruby, a-t-il dit à haute voix, de façon à ce que tout le monde l'entende. Qu'est-ce que tu fais ? C'est fini, toi et moi. Nous sommes des amis, maintenant. Tu sais que je suis avec Kim.

J'ai balayé le pont du regard. Heidi Sussman et Sean Murphy étaient là, les yeux rivés sur nous. Jackson s'est rué dans l'escalier en les bousculant au passage.

Je me suis trouvée toute seule, et j'ai eu une nouvelle crise d'angoisse. Heidi et Sean avaient disparu à leur tour, et il ne restait plus, de l'autre côté du pont, que Melissa, quelques élèves de terminale et un couple dont les bouches semblaient définitivement soudées l'une à l'autre. Ma tête s'est mise à tourner si fort que j'ai dû m'agripper à la balustrade pour rester debout. Mon cœur cognait dur, mon souffle était court. Je cherchais en vain de l'oxygène. Je me suis mise à transpirer, malgré le froid. Finalement, j'ai réussi à tituber jusqu'à un banc.

C'est alors que Noel est apparu et s'est assis près de moi. C'est le garçon de mon cours d'arts plastiques qui m'avait envoyé un œillet accompagné d'un petit poème amusant, le jour de la Saint-Valentin (« *Aussi haut qu'un cochon puisse voler.* ») Il était le seul à porter un smoking (les autres avaient mis des costumes). Il a allumé une cigarette avec un briquet en argent démodé.

Noel n'avait pas réellement d'amis au lycée, et il ne prenait rien au sérieux. Il parlait de Tate avec ironie. Pour lui, c'était un monde peuplé de blancs-becs chicos qui jouaient au lacrosse et se promenaient en BMW. Il avait l'air si sûr de lui que personne ne s'avisait de lui chercher des poux. Ses cheveux blonds étaient hérissés d'une façon un peu ridicule, une coupe de cheveux qui devait exiger des tonnes de gel. Il avait un piercing au sourcil gauche. Ce soir-là, ses rangers dépassaient de sous son pantalon de smoking, et leurs gros bouts ferrés brillaient au clair de lune.

Si Noel avait des petites amies, il devait les trouver à l'extérieur de l'école. Il était le seul à avoir osé venir seul à la soirée. Il était si distant et ironique qu'il pouvait se comporter comme bon lui semblait sans que personne le considère comme un lépreux.

— Eh, Ruby, a-t-il dit en s'affalant sur le banc, le dos contre la balustrade. J'ai appris que tu organisais une fête après le bal. Il paraît que ton mec a pété les plombs et que tu n'as plus de chauffeur pour te ramener chez toi. C'est vrai ou encore un ragot bidon à la Tate ?

Je n'arrivais pas à croire que Jackson ait invité tant de monde à ma propre fête. Probablement la moitié des élèves de seconde et de première.

— Comment le sais-tu ?

(Jackson avait-il vraiment l'intention de m'abandonner ici ?)

— Attends, tu plaisantes, là ?

Noel s'est gratté le nez et a tiré sur sa cigarette.

— Tout le monde est déjà au courant, sur le bateau.

— Bon sang. Au moins, je suis certaine que personne ne viendra à ma fête.

— Tu rêves. Cinq personnes m'ont déjà demandé si j'y allais. Arielle Oliveri. Katarina Dolgen. Ça va être quelque chose.

— Oh non.

— Si tu m'invites, je te ramène.

— Bien sûr que je t'invite. J'ai pas eu une semaine géniale. C'est Jackson qui a organisé ce truc. C'était son idée.

Noel a souri.

— Ouais, je sais. Je me tiens informé de la vie de Ruby Oliver. Je suis un fan.

J'étais reconnaissante. Noel me faisait l'impression d'un chevalier blanc en armure. Il m'a prêté sa veste et accompagnée vers sa voiture. Nous avons roulé jusqu'à la maison. Mes parents avaient disposé des glacières pleines de jus de fruits et de sodas au bout de la jetée, là où sont amarrés les bateaux ; ils avaient installé des chaises pliantes et rempli des sacs en papier de bonbons adorables. Il y avait déjà du monde lorsque nous sommes arrivés : Matt et Nora (qui, dès qu'elle m'a vue, a appelé sa mère pour qu'elle vienne la chercher, en prétextant être fatiguée[89]) ; Arielle et Shiv ; Katarina et Kyle ; une poignée de copains de première de Jackson ; Frank Cabot et une fille de terminale avec des gros seins ; quelques élèves de

---

89. Parce qu'elle était furieuse contre moi à propos de Kim, et qu'elle avait décidé de ne plus jamais m'adresser la parole.

seconde avec lesquelles je jouais au lacrosse. Sean et Heidi sont arrivés un peu plus tard. Cricket[90] et Pete ne sont même pas venus.

C'était une belle nuit de printemps. J'étais l'hôtesse d'une fête où s'étaient rendus tout un tas de gens populaires portant des vêtements glamours. J'avais un garçon en smoking à mes côtés. Ça aurait dû être génial.

Mais j'étais effondrée.

Quelqu'un m'a passé une bière. Je ne me rappelle pas qui. Je n'avais pratiquement jamais bu à l'époque : à peine quelques gorgées, pour goûter, et un peu de vin lors des soirées de première de ma mère. Mais là, j'ai vidé la bouteille. J'aimerais pouvoir affirmer que la débâcle qui a suivi était la conséquence de mon ivresse, mais je n'ai pas le droit. Comme dit le docteur Z, je dois assumer mes actes.

Voici une liste de faits, partiellement dus à la consommation de cette bière, qui se sont produits lors de cette fête. Je dois admettre que je suis strictement responsable de trois d'entre eux.

Un : j'ai tenu la main de Noel. Je l'ai fait exprès, lorsque Sean et Heidi sont arrivés. J'avais besoin de me sentir protégée. Ça a duré un moment, et ça m'a plu. Mais le lendemain, j'ai trouvé ça bizarre. Je n'avais pas eu l'intention de flirter[91].

----

90. Idem.

91. D'accord. Peut-être que si. En fait, oui, j'en avais l'intention. Il était mignon. J'avais besoin d'un peu d'attention. Je me sentais tellement minable. Cet aveu est la conséquence d'une séance en compagnie du docteur Z.

Deux : il est rapidement devenu évident que l'histoire que colportait Heidi laissait de côté le fait que Jackson m'avait rendu mon baiser, ce qui a pourtant duré au moins vingt secondes, je le jure. Sa version[92] mettait en scène un Jackson fidèle, au cœur pur, qui avait simplement fait une faveur à une pauvre binoclarde qui se sentait rejetée et n'avait pas de cavalier pour le bal. Hélas ! cette dernière (moi) en a profité pour lui rouler une pelle, si bien qu'il a été obligé de la repousser, pour rester fidèle à la garce dépourvue de formes qu'il fréquentait alors (Kim). Une attitude d'autant plus respectable qu'il ne tenait pas tant que ça à cette fille (Kim). C'était vraiment un garçon exceptionnel.[93]

....

92. J'ai appris tout ça en l'écoutant discuter avec Arielle, d'une oreille distraite.

93. En histoire-géographie, Mr Wallace s'en prend souvent à la façon dont les médias déforment les faits dans un sens ou dans un autre, en fonction de leur tendance politique. Par exemple, un quotidien démocrate en rajoutera sur la politique économique de l'ex-président Clinton, tandis qu'un quotidien républicain insistera sur la difficulté qu'il éprouvait à garder sa braguette fermée. Heidi présentait sa version personnelle de l'affaire Jackson/Ruby, sans doute parce qu'elle était toujours amoureuse de Jackson. Personne ne m'a interrogée sur ma propre version des faits, à l'exception du docteur Z. La voici :

« Jackson mentait à Kim. Il avait invité Ruby au bal parce qu'il l'aimait toujours. Ils étaient sortis ensemble pendant six mois, après tout. Il a dansé un slow avec elle et elle s'est sentie désirable. Il l'a emmenée se promener au clair de lune sur le pont du bateau. Il l'a prise dans ses bras, un geste qui n'avait rien d'amical. Il se comportait de façon romantique, c'est évident ! Alors, lorsqu'elle l'a embrassé, il lui a rendu ce baiser, et c'est ce qu'il attendait depuis le début.

Ensuite, lorsqu'il s'est fait surprendre, il a changé de musique. »

Trois : Angelo Martinez a fait son apparition. Je l'avais invité, mais je n'avais pas pensé une seule seconde qu'il viendrait. J'étais un peu ivre et furieuse que les invités soient plus heureux que moi. Ils sifflaient joyeusement les boissons de mes parents, tandis que je me sentais humiliée et rejetée. J'essayais d'expliquer à Noel qu'on ne m'entendrait plus jamais parler de Jackson, tout en lui demandant si, à son avis, il avait toujours des sentiments pour moi. Soudain, mon regard s'est posé sur Katarina, qui parlait à Angelo ! Il portait un pantalon en toile et un sweat-shirt. Il avait un *bouquet* dans les bras.

— Salut, ai-je dit, en m'avançant vers lui.

— Salut, a-t-il répondu.

— C'est ton nouveau petit ami, Ruby ? a demandé Katarina.

Angelo l'a ignorée et m'a tendu le bouquet dans sa boîte en plastique transparent. Des roses jaunes, comme la première fois.

— Je l'avais commandé avant que tu appelles, a-t-il précisé. Alors je me suis dit que je ferais aussi bien de venir te l'offrir.

— Merci.

— J'espère que ton copain ne le prendra pas mal.

Il a ouvert la boîte pour moi et en a sorti les fleurs. J'ai regardé les œillets roses que m'avait apportés Jackson. Ils piquaient déjà du nez, accrochés à ma ceinture.

Je les ai jetés sur le sol puis je les ai piétinés du talon de mon escarpin argenté.

— Il ne le prendra pas mal, ai-je dit. Tu peux me faire confiance.

Je me suis hissée sur la pointe des pieds et j'ai embrassé Angelo sur la joue.

— Ces fleurs, c'est exactement ce dont j'avais besoin. Merci beaucoup.

— Pas de problème, a-t-il dit.

Puis il s'est penché en avant et m'a embrassée sur la joue, juste un peu plus près de la bouche qu'un baiser normal. J'en ai eu la chair de poule.

— Ruby, qu'est-ce que… ?

Je me suis retournée. Jackson était là, sa cravate dénouée. Les œillets écrasés. Le baiser. Il avait tout vu.

— Qu'est-ce que tu fais ici ? ai-je demandé, en m'éloignant d'Angelo.

— C'est qui, ce type ?

— On était pas en train de…

— Je ne te crois pas !

— Mais…

— Je suis venu pour te parler, a dit Jackson à voix basse, la bouche collée à mon oreille. J'ai roulé comme un dingue, en pensant à tout ça. J'étais troublé par ce qui s'est passé sur le bateau.

Il transpirait. Je ne savais pas quoi pas dire.

— Je pensais que tu tenais encore à moi, a-t-il continué. Mais je constate que tout ça n'avait aucune importance pour toi.

— Quoi ?

— Je n'arrive pas à croire que tu sortes avec un autre.

— Jackson !

Il a tourné les talons et a regagné la voiture.

Quand je me suis retournée, Angelo avait disparu, lui aussi.

Quatre : ma mère a trouvé une bouteille de bière.

— Ruby, qu'est-ce que ça signifie ? Tu me déçois beaucoup. Tu te rends compte que certains de tes amis conduisent ? Bla bla bla.

Vu les circonstances, cette prise de tête ne me faisait ni chaud ni froid. Je me suis contentée d'écouter patiemment le long discours moralisateur de ma mère, en jugeant tout de même que le moment était vraiment mal choisi.

Donc, pour résumer, ma mère me hurlait dessus, Heidi colportait des horreurs sur mon compte, la présence de Noel me troublait et Angelo devait être très en colère contre moi. Et puis il y avait Jackson, qui pensait que je le trompais, que je l'avais oublié et que j'étais, d'une façon plus générale, la pire garce qui ait jamais existé. On aurait raisonnablement pu penser que la situation ne pouvait pas être pire. Erreur. Dans ma vie, tout peut toujours s'aggraver.

Cinq : je me trouvais donc devant la maison, à écouter la leçon de morale de ma mère, dont le métier, je le rappelle, consiste précisément à brailler de longs monologues. Son discours avait des accents hautement dramatiques. J'étais fascinée. Soudain, Melissa est apparue au bout du quai. La fête battait son plein, à une trentaine de mètres, là où se trouvaient les bateaux. Je l'avais aperçue avant le bal. Elle était sublime, dans une robe sans taille, un collier de perles autour du cou.

À des années-lumière de son look habituel de petite souillon sexy.

— Bonsoir, Mrs Oliver, a-t-elle dit très poliment.

Ma mère a brutalement changé de registre.

— Tiens, Melissa ! Comme je suis contente de te voir. Est-ce que tu t'es amusée pendant le bal ?

— Oui. J'ai déposé Bick et j'ai vu les bougies en passant devant chez vous. Ruby, tu organises une fête ?

— Et tu es la bienvenue, a répondu ma mère, qui se la jouait hôtesse.

Je n'arrivais pas à croire que la femme qui s'exprimait ainsi était celle qui, quelques secondes auparavant, hurlait que j'étais un monstre d'irresponsabilité qui organisait des fêtes clandestines et mettait en danger la vie de ses amis, tout ça pour quelques bouteilles de bière *dont j'ignorais la provenance*.

— Tu veux un soda ? lui a-t-elle demandé. Ta robe est sublime, mon cœur.

— Oui, merci.

Ma mère s'est dirigée vers une glacière.

— Ruby, pourquoi tu ne m'as pas invitée ? a demandé Melissa, dès que ma mère s'est trouvée hors de portée de voix.

— Quoi ?

— Pourquoi tu ne m'as pas invitée à ta fête ?

Sa voix était brisée.

— Tu pensais que je ne serais pas au courant ? Bon sang, Ruby, j'habite juste à côté.

En vérité, je n'y avais tout simplement pas pensé. Bien sûr, Melissa m'emmenait au lycée chaque matin.

Bien sûr, nous bavardions, nous nous arrêtions au drive-in du *Starbucks*, nous nous prêtions de l'argent et nous braillions ensemble en écoutant la radio. Mais je ne l'avais jamais considérée comme une amie. Je pensais qu'elle vivait sa vie, qu'elle se trouvait à une fête avec Bick, Whipper et leurs copains de terminale. Qu'elle se moquait royalement de mes copines de seconde et de première.

— Je-je voulais le faire, ai-je bégayé. C'est un malentendu. Jackson a tout organisé. Je n'ai pas grand-chose à voir avec cette fête.

— Tu es en colère contre moi ? Tu as quelque chose à me reprocher ? Je croyais qu'on était amies.

— J'ai oublié d'inviter Noel aussi. Il ne l'a pas mal pris. Il est passé quand même. S'il te plaît, ça n'a rien de personnel, crois-moi.

— Je t'ai toujours invitée à mes fêtes. Nous allons au lycée ensemble tous les jours. Nous sommes voisines.

Elle tremblait, ses bras minces et nus se détachant sur sa robe de soie noire.

— Voilà ton soda, Melissa, a dit ma mère en réapparaissant avec une cannette couverte de givre. Un Schweppes, ça te va ? C'est tout ce qui reste. Il n'y a plus de Coca. Il ne reste plus que ce dont personne ne veut.

— C'est parfait, a dit Melissa avec un sourire tendre. Je suis la fille dont personne ne veut. Ça vous ennuie si je l'emporte ? Je suis épuisée. Je vais rentrer.

Je me suis ruée vers la salle de bains et j'ai eu une nouvelle crise d'angoisse.

Le lundi matin, personne ne m'a adressé la parole. Melissa n'est pas venue me chercher pour m'emmener à l'école. C'est ma mère qui a dû s'en charger. Kim était de retour de son week-end en famille, et je pouvais littéralement la *sentir* m'ignorer à plusieurs kilomètres.

J'ai essayé d'établir le dialogue avec Nora et Cricket.

— Plus tard, Ruby, s'est contentée de dire cette dernière. On a des trucs à faire.

Sur ces mots, elles se sont dirigées vers la cafétéria et ont fait comme si je n'existais pas le reste de la journée. Katarina et sa cour se sont montrées plutôt sympas avec moi, mais je savais qu'elles voulaient juste en savoir plus sur Angelo et Jackson, afin de diffuser des ragots dans tout le lycée. J'ai donc soigneusement évité de laisser filtrer la moindre information.

Seul Noel s'est comporté avec gentillesse. Après le cours d'arts plastiques, nous nous sommes promenés dans l'agora. Il s'est allumé une cigarette en public, les mains couvertes de peinture, sans craindre de se faire surprendre par un membre du personnel enseignant.

— Merci de m'avoir ramenée samedi, ai-je dit.

— À ton service.

— Je ne sais pas ce que j'aurais fait sans toi.

— Quelqu'un d'autre s'en serait chargé.

— Peut-être.

— C'était ta fête, Ruby.

— Faut croire.

— Tu es la princesse guerrière du royaume de Tate.

Il a fait une grosse voix, comme celle des bandes-annonces au cinéma :

— Elle se moquait des rumeurs qui circulaient à son sujet. Elle n'avait peur de rien. Elle organisait des fêtes, embrassait les petits amis de ses copines et tenait la main d'hommes mystérieux. Dans sa robe d'argent enchantée, Ruby Oliver bottait le train de tous ceux qui osaient se mettre en travers de son chemin...

J'ai rigolé.

— Alors, pourquoi je me sens lépreuse ?

— La princesse lépreuse était couverte de bubons verdâtres, a poursuivi Noel, mais ça ne gâchait ni son charme, ni sa science du kung-fu, ni ses talents de peintre.

J'ai mimé quelques gestes de karaté dans le vide et hurlé :

— Tcha !

— Sérieusement, a dit Noel. Tu n'as pas peur de te montrer avec moi ? Avec ce que tout le monde raconte ?

— Qu'est-ce que tu veux dire ?

— Au moins trois personnes m'ont demandé si on sortait ensemble.

— Tu rigoles ?

— Cricket m'a demandé comment je trouvais le poster de Dali accroché dans ta chambre[94].

----

94. C'est la reproduction d'un tableau créé par un peintre surréaliste nommé Salvador Dali, qui portait la plus extraordinaire moustache de tous les temps. Son titre est *Montre molle au moment de sa première explosion*. Ça représente une énorme montre à gousset à l'état presque liquide qui s'autodétruit. J'adore.

— Vraiment ?

— Et Nora m'a demandé si nous étions ensemble.

— Nora ? Pourquoi elle ne me l'a pas demandé à *moi* ?

— Josh m'a demandé si je couchais avec toi dans le dos de Jackson avant que vous ne vous sépariez.

— Josh est un abruti.

— Ouais, mais du coup, il dit tout haut ce que les gens pensent tout bas.

Il a tiré sur sa cigarette puis l'a écrasée sous la semelle de l'une de ses rangers. Je me demandais si Noel m'avait vue embrasser Angelo, et j'ai supposé que non. Mais il en entendrait parler tôt ou tard, c'était certain.

Je l'ai regardé attentivement. Il était mince et délicat dans son manteau de cuir.

Il m'a fixée à son tour, droit dans les yeux.

— Je me moque qu'ils pensent ça, a-t-il dit. Ça ne me dérange pas.

Je me demandais s'il m'avait tenu la main parce que je lui plaisais ou par pure gentillesse. Je me demandais même s'il aimait les filles. Noel était impénétrable. On ne pouvait jamais savoir s'il parlait sérieusement ou s'il plaisantait. Il faisait partie de l'équipe d'athlétisme, mais il semblait se moquer de gagner ou de perdre, à l'inverse de Jackson. Il fumait, mais il suivait des règles d'hygiène très strictes : pas de bière, pas de drogue, pas de viande, pas de toxines. Il buvait même du jus de carotte.

C'était un type assez déstabilisant.

— Je leur dirai ce que tu veux qu'ils croient, a-t-il poursuivi. Qu'il ne s'est rien passé. Ou qu'on est ensemble depuis Noël. Ou que j'ai pris ta main contre ta volonté. Ou que c'était juste pour un soir, et que c'était fantastique. Comme tu veux. Je me fous complètement de ce que pensent Cricket et Nora. Et Jackson Clarke, même s'il est plus grand que moi. Ce sont de parfaits crétins à la Tate, de toute façon.

— Ce sont mes amis, Noel, ai-je protesté, me sentant soudain sur la défensive.

— Tes amis ?

— Parfaitement.

— Eh bien, si c'est ça, tes amis, tu n'as pas besoin d'ennemis.

— C'est juste un malentendu. Ça sera vite oublié.

Noel a secoué la tête.

— Je te trouve bien optimiste, Ruby. Tu ne vois pas à quel point ces filles sont fausses ? Ne te prends pas la tête avec elles. Oublie-les. Crois-moi, tu en riras dans dix ans.

J'aurais voulu penser comme lui, aller m'éclater dans les boîtes punk-rock où il traînait, voir le monde avec distance et ironie, et commencer une nouvelle vie dans un monde où le regard des autres ne comptait pas. Mais c'était plus fort que moi.

J'aimais mes amis.

— Fais-moi confiance, a-t-il dit. Tu n'as pas besoin de Jackson Clarke ou de Cricket McCall pour exister.

Mais je ne suis pas ironique. Je suis même tout le contraire. Je suis trop sensible. Je suis désespérément sincère.

— Lâche-moi un peu, Noel, ai-je dit. Et puis, tu sais quoi ? Va te faire foutre.

Sans surprise, j'ai eu une nouvelle crise d'angoisse peu après ma dispute avec Noel. Le mardi, j'ai fait semblant d'être malade pour rester à la maison. J'ai passé la journée à avaler des bonbons et à lire un roman fantastique. Comme je ne savais pas encore ce qui m'arrivait, je pensais que j'étais en train de mourir d'une horrible maladie du cœur et des poumons. Mais j'ai dit à ma mère que j'avais la migraine et des crampes. Elle m'a autorisée à sécher les cours. Elle s'est agitée autour de moi pendant deux heures. Elle m'a apporté du thé censé détendre les muscles et des bouteilles d'eau chaude, tout en faisant des allers-retours à son bureau pour poursuivre son travail de correctrice freelance. Finalement, elle a dû se rendre à une réunion et j'ai enfin pu prendre une douche, pleurer un bon coup et manger les cinq cents grammes de pastilles à la menthe que mon père cachait dans son bureau.

Mercredi, je suis retournée au lycée et je me suis plantée à une interro de maths que j'avais oublié de réviser. Kim m'a traitée de salope à voix basse en cours d'histoire-géo. Mr Wallace a tout entendu et s'est aussitôt lancé dans un long discours sur les effets négatifs des étiquettes. Il nous a expliqué que de tels mots ne servaient qu'à restreindre la liberté sexuelle des femmes, qu'il existait une foule de synonymes du mot salope[95] et pas un seul équivalent pour désigner les hommes. N'était-ce pas révélateur de la position des femmes dans notre société ? Il nous a proposé des expressions plus appropriées : « jeune femme qui utilise la sexualité pour s'attirer l'intérêt des personnes du sexe opposé » ; vu sous un autre angle, « jeune femme libérée et ouverte d'esprit qui aime les garçons et exprime son affection sans contraintes, mais que la société a du mal à comprendre ». Bla bla bla.

Je suis sûre qu'il était animé de bonnes intentions, mais moi, je voulais juste traiter Kim de grosse chienne en chaleur et ne plus penser à tout ça.

J'ai laissé passer trois tirs faciles pendant le match contre le lycée de filles de Nightingale (je suis gardienne de but), et toute l'équipe m'en a voulu. Après, j'ai accepté d'aller au cinéma avec Frank, ce joueur de rugby qui venait de temps à autre assister aux rencontres féminines de lacrosse, et que je connaissais à peine. Il m'a sans doute invitée parce qu'il avait entendu dire que j'étais une fille facile. Merci à Mr Wallace pour son discours épique sur le mot *salope*, son contexte historique et ses précurseurs linguistiques, qui avait été le seul sujet de discussion à la cafétéria et sur l'agora pendant le reste de la journée.

Je ne sais pas pourquoi j'ai accepté. Je ne voulais vraiment pas sortir avec lui.

---

95. Chienne ! Traînée ! Poufiasse !

Mais je ne voulais pas non plus rester seule un vendredi soir.

Ce jour-là, au dîner, j'ai tâché de faire bonne figure devant mes parents. Je me tenais bien droite sur ma chaise et poussais sagement mon riz complet dans mon assiette de la pointe de ma fourchette, comme d'habitude. Mais peu après, j'ai eu ma cinquième crise d'angoisse, là, à table. C'est à ce moment que mon père s'est persuadé que j'étais suicidaire et que ma mère a décidé que je devenais anorexique. Cette dernière a appelé la mère de Melissa puis le docteur Z de la part de Juana.[96]

Ma thérapie a commencé dès le lendemain. J'ai rédigé le premier jet de la liste le vendredi matin, puis je l'ai jetée dans la poubelle de l'école, comme l'idiote que je suis.

Le lundi matin, je suis arrivée à l'école en retard parce que j'ai été obligée de prendre le bus (Melissa ne venait plus me chercher depuis le bal de printemps). J'ai trouvé une photocopie dans ma boîte : la reproduction grisâtre d'une feuille de papier provenant du bloc courrier offert par ma grand-mère, avec les mots *Ruby Denise Oliver* imprimés en en-tête. La feuille avait été défroissée et placée contre la glace de la photocopieuse.

----

96. Ce qui, maintenant que j'y pense, signifie qu'Angelo sait désormais que je suis gravement névrosée et victime de crises d'angoisse, vu que ma mère l'a dit à Juana, laquelle l'en a forcément informé. De toute façon, je suppose qu'il est fâché à mort, après ce qui s'est passé.

C'était ma première version de la liste destinée au docteur Z. Un désordre total, avec des flèches dans tous les sens, des noms rayés, d'autres intercalés et quelques gribouillis absurdes.

J'ai regardé les autres boîtes alignées contre le mur. Je voyais la même photocopie dépasser d'environ dix boîtes de la section des seconde, et d'une ou deux autres de la section des première et des terminale. Il était clair que la plupart des élèves s'étaient déjà emparés de leur exemplaire. J'ai ramassé tous ceux que j'ai pu trouver et les ai fourrés dans mon sac à dos. Et puis, une fois de plus, mon cœur s'est emballé et je me suis mise à étouffer. Allais-je mourir d'une crise cardiaque à cause de cette nouvelle humiliation ? J'ai titubé jusqu'aux toilettes des filles et je me suis assise par terre, haletante, les yeux rivés sur la liste. L'horreur.

Qui avait fait ça ? et pourquoi ?

Sean. Hutch. Gideon. Charlie. Shiv. Jackson. Noel. Frank. Rien que des élèves de Tate. Même si Charlie et Gideon avaient déjà quitté l'établissement depuis longtemps. Et puis Adam. Ben. Tommy. Sam. Michael. Angelo. Billy. Personne ne pouvait savoir de qui il s'agissait.

Sauf qu'*il y avait* un Adam Bishop en arts plastiques. Et que Ben Abromowitz était un garçon de seconde que j'avais rencontré à la piscine. Et que Tommy Parish était sorti avec Cricket en troisième. Sam Whipple (dit Whipper) était capitaine de l'équipe d'aviron. Michael Sherwood était dans mon cours de géométrie. Charlie

Hilgendorf était un élève de troisième super mignon que beaucoup de filles surveillaient du coin de l'œil. Billy Alexander était un copain de Bick. Et il y avait aussi Billy Krespin, mon partenaire de travaux pratiques en biologie-éducation sexuelle.

À l'exception d'Angelo et de Gideon, chaque nom de la liste évoquait un élève de Tate.

Qu'est-ce que les gens allaient penser ?

Que c'était la liste des garçons sur lesquels j'envisageais de refermer mes griffes d'allumeuse.

Que c'était la liste des garçons sur lesquels j'avais déjà refermé mes griffes de garce.

Que l'ordre dans lequel ils apparaissaient avait une signification : du plus mignon au plus moche ; de celui qui embrassait le mieux au plus inexpérimenté ; du meilleur coup au plus empoté.

Quelle que soit l'interprétation qu'on en faisait, la liste donnait de moi une image de mangeuse d'homme qui écumait la population masculine de Tate sans la moindre considération pour les pauvres petites amies trompées dont les cœurs se brisaient sur son passage.

N'importe qui avait pu découvrir la liste au fond de la corbeille, vendredi. Mais seule Kim pouvait l'avoir photocopiée.

J'ai séché la première heure de cours et je suis restée terrée dans les toilettes. Puis je me suis fait violence pour assister au cours de théâtre. Je pouvais voir cette maudite photocopie dépasser de la plupart des classeurs tandis que nous bégayions une lecture de *Maison de poupée* d'Henrik Ibsen, assis en cercle, en changeant de rôle dès que la prof remarquait que les orateurs commençaient à fatiguer. Plus tard, dans les couloirs, je pouvais entendre des chuchotements chaque fois que j'approchais d'un groupe d'élèves.

Tommy Parrish et Ben Abromowitz m'ont lancé des regards bizarres.

Whipper m'a pincé les fesses.

Frank et Billy Alexander ont proféré des horreurs sur mon compte sans se soucier de ma présence.

À la cafétéria, Arielle, qui sortait avec Shiv, m'a bousculée dans la queue avec une telle violence que j'en ai gardé un bleu à l'épaule.

— Oooh, s'est-elle exclamée à haute voix. Excuse-moi. Finalement, je dois être comme toi, je ne fais pas attention aux autres.

Pendant le cours de géométrie, Michael m'a jeté des regards en coin en jouant des sourcils, puis il m'a fait passer un petit mot qui disait : « Toi aussi, tu es sur ma liste. »

Charlie Hilendorf m'a dit « salut » dans le couloir, puis il a explosé de rire.

En classe, Sean m'a dit à voix basse :

— Tu sais que tu as rendu les choses encore plus difficiles ?

— Quoi ?

— Pourquoi tu as fait ça ? Tu sais comment est Kim quand elle est en colère.

— Je n'ai pas écrit cette liste pour que tout le monde la lise, ai-je commencé à expliquer.

Mais il s'est détourné et ne m'a plus adressé la parole.

Ça a continué comme ça toute la journée. Je suis passée de « lépreuse » à « lépreuse *et* célèbre allumeuse ».[97]

Le vendredi, les murs des toilettes du bâtiment principal étaient couverts de graffiti.

« Pour qui se prend Ruby Oliver ? »

C'était l'écriture de Kim.

« Mata Hari. »

« Pamela Anderson. »

« Un cadeau des dieux au sexe masculin. »

« Ruby Oliver est une .... *(à compléter)*. »

« Une traîtresse. »

« Une mytho. »

« Une salope. » (Kim, à nouveau.)

« Eh, je vous rappelle que nous n'avons plus le droit de prononcer ce mot. »

« Une chienne. » (Kim.)

« Une traînée. »

« Une poufiasse. »

« Une catin. »

« C'est quoi, cette liste ? J'attends vos avis. »

---

97. Seule Nora m'a parlé, même si c'était de façon un peu indirecte. Quand je lui ai demandé si elle m'en voulait pour la photocopie, elle a dit : « Tu me prends pour une imbécile ? », ce qui signifiait qu'elle ne croyait pas un mot des rumeurs qui circulaient à mon sujet. Mais elle était furieuse que j'aie embrassé Jackson alors qu'il sortait avec Kim, et que j'aie violé les *Règles à respecter pour entretenir une relation avec un petit ami dans une école de petite taille*. Donc, elle n'aurait pas levé le petit doigt pour me sortir de la situation où je me trouvais.

« Les mecs qu'elle s'est tapés, par ordre de taille. »

« Il paraît qu'elle fait des trucs derrière le gymnase. »

« Les mecs qu'elle s'est tapés, par ordre chronologique. »

« Les mecs qu'elle s'est tapés derrière le dos de ses copines. » (Kim.)

« Vous pensez qu'elle s'est vraiment fait Noel Duboise ? Ce type n'est jamais sorti avec personne. »

« Vous pensez qu'elle s'est vraiment envoyé Hutch ? Beurk. »

« Peut-être qu'il gagne à être connu. »

Puis de l'écriture ronde de Nora :

« Allez, les filles. C'est peut-être une traîtresse, mais est-ce que nous ne faisons pas *toutes* des listes de garçons que nous trouvons mignons ? Ça ne va sûrement pas plus loin. »

« J'espère qu'elle prend la pilule. »

« Il paraît qu'elle a une maladie vénérienne. »

« Vous croyez qu'elle l'a refilée à Billy A ? Il est tellement sexy. »

« Billy Alexander a toujours des capotes dans sa poche arrière. »

« Comme Frank. »

« Pas étonnant qu'elle soit sortie avec Frank. Qui d'entre nous n'y est pas passée ? »

« Ça me donne quand même envie de vomir. »

J'ai essayé d'effacer les inscriptions avec du papier toilette mouillé, mais on pouvait encore les déchiffrer aisément, en particulier celles qui étaient tracées au marqueur noir indélébile. J'ai emprunté une brosse et du détergent industriel dans le placard de l'employé de nettoyage. J'étais à genoux, en train d'essayer de tout faire disparaître, quand Kim a fait son apparition.

C'était la première fois que nous nous retrouvions seules depuis qu'elle sortait avec Jackson. Elle m'a ignorée et a commencé à se recoiffer devant un miroir.

— C'est toi qui as diffusé cette photocopie, n'est-ce pas ?

— Et alors ? Les gens doivent savoir qui tu es réellement.

— Et c'est toi qui as lancé cette discussion sur le mur ?

— Non.

Elle a attaché ses cheveux avec une barrette.

— Vraiment ?

— De toute façon, ça ne te regarde pas.

— Je connais ton écriture, Kim.

— Alors, pourquoi tu me demandes ?

— C'était une liste que j'ai rédigée pour ma psy, d'accord ? Je suis en thérapie, maintenant. Je ne sais plus où j'en suis.

Kim est resté très calme.

— Oh, ma pauvre petite, a-t-elle dit sur un ton sarcastique.

— Je perds la tête. Parce que ma meilleure amie m'a piqué mon petit ami. Je lui faisais confiance et elle m'a poignardée dans le dos.

— Je ne te l'ai pas piqué. C'était le destin.

— Quelle différence ? Explique-moi.

— Nous nous aimons, a-t-elle dit avec passion.

— Tu étais censée être mon amie.

— Je te l'ai dit, nous n'avons rien fait pour que ça arrive. C'était écrit.

— Alors, pourquoi m'a-t-il invitée au bal de printemps ?

— Il essayait d'être gentil, Ruby. Je sais exactement ce qui s'est passé. Je ne pourrai plus jamais te faire confiance.

L'éponge humide m'en est tombée des mains et a atterri sur mes cuisses. L'eau dégoulinait sur mon pantalon, mais je m'en fichais.

— Qu'est-ce que j'ai bien pu faire pour que tu ne me fasses pas confiance ?

— Déjà, avec Sean, il fallait que je te surveille. Tu passais ton temps à flirter avec lui.

— Je ne lui adressais même pas la parole !

— Non, mais tu lui lançais des regards en papillonnant des paupières. Et puis tu croisais les jambes pour lui montrer tes bas résille. Tu l'évitais, parce que tu pensais qu'un seul mot de ta part aurait suffi à le faire tomber follement amoureux de toi.

— Quoi ?

— Je vous ai vus à cette fête d'Halloween. Je sais comment vous vous comportez quand vous êtes seuls tous les deux.

— Nous n'avons jamais été seuls !

— Bon, peu importe. Mais il y avait quelque chose entre vous. Il n'a pas arrêté de me répéter à quel point tu étais drôle, après ce jour-là. Une histoire de jaguar, ou de Freddy Krueger, je ne sais plus quoi.

— Oui, Freddy Krueger le chaton.

— Peu importe. Vous aviez une *private joke*.

— Il était déguisé en panthère, en fait.

— Ce n'est pas le problème. Tu lui courais après.

— C'est faux.

— Je sais ce que je dis. Je me demande si ça a commencé ce jour-là ou bien avant. C'était comme si vous partagiez un grand secret, un truc rien qu'à vous. Il était toujours en train de me demander de tes nouvelles.

— Kim ! Il ne s'est rien passé.

— Aucune importance. De toute façon, je m'en fiche, maintenant. Mais tu devrais réfléchir à ta vision de l'amitié avant d'aller crier sur les toits que je t'ai piqué ton copain.

Elle a refermé brutalement la fermeture éclair de son sac.

— Regarde-toi dans la glace, Ruby, a-t-elle ajouté en se dirigeant vers la porte. Je suis peut-être une garce d'avoir diffusé cette photocopie, mais j'espère que ça t'aidera à réfléchir aux conséquences de tes actes, à la façon que tu as de franchir les limites et d'embrasser les petits amis de tes copines, à ta manie de flirter avec le premier venu sans te soucier des sentiments des autres. Je ne regrette rien.

Sur ces mots, elle a quitté les toilettes.

Mon père m'encourage toujours à faire preuve d'empathie à l'égard des autres. À considérer leur point de vue. À leur pardonner. Maintenant, je pense que Kim avait raison à propos de Sean et moi. Je ne dis pas que nous ressentions quelque chose l'un pour l'autre ni que nous ayons fait quoi que ce soit de mal, mais, d'une certaine façon, je crois que je me sentais capable de voler le petit copain de Kim. Nous partagions une sorte de secret. Il me lançait vraiment des regards étranges, surtout lorsque je portais des bas résille, et j'aimais ça. Notre relation n'était pas ce qu'elle aurait dû être, dans la mesure où il sortait avec ma meilleure amie. D'ailleurs, je l'ai mis sur la liste, sans que rien de romantique ne se soit passé entre nous. Ça *doit* bien signifier quelque chose.

Donc, en ce qui concerne Sean, j'avais tort. Et j'ai arrêté de porter des bas résille.

Kim croit à la destinée. Elle pense que Tommy Hazard l'attend, quelque part, et que c'est l'homme de sa vie. Aujourd'hui, elle pense que c'est Jackson. Elle est persuadée qu'il ne m'a pas rendu mon baiser, et qu'il n'est pas venu à ma fête avec l'idée qu'on puisse se remettre ensemble, parce qu'elle veut garder de lui l'image de l'homme parfait qu'elle recherche depuis toujours. Pour elle, je n'étais pas si accro à Jackson que ça, puisque j'avais flirté avec Sean. Elle ne m'en voulait pas vraiment pour cette histoire, parce qu'elle lui fournissait une bonne excuse pour me voler mon petit ami.

Kim respecte les règles. Elle passe son temps à se comporter de façon irréprochable, à s'occuper d'œuvres de charité, à ramener des bonnes notes et à incarner le chef-d'œuvre de Mr et Mrs Yamamoto. Quand quelqu'un (moi) s'écarte de son idéal, elle lui réserve le traitement qu'il mérite, selon elle. Elle considérait que je méritais cette photocopie.

Si j'avais raconté à ma mère l'histoire de la liste, ce dont je me suis sagement abstenue, elle aurait décrété que Kim était une manipulatrice sournoise et perfide. Ensuite, elle m'aurait conseillé d'exprimer ma rage, d'oublier Kim, de me faire une raison et de manger un truc à base de soja.

Mon père m'aurait dit de pardonner.

Ma mère m'aurait dit d'oublier.

Mais je ne veux faire ni l'un ni l'autre. Car si je comprends parfaitement ce qui se passait dans la tête de Kim, je ne pense pas pour autant qu'elle mérite mon pardon.

Le lundi matin qui a suivi ma confrontation avec Kim dans les toilettes des filles, j'attendais le bus au coin de ma rue en lisant la bande dessinée du *Times* et en sirotant une brique de jus d'orange, lorsque la jeep de Melissa est apparue en haut de la côte.

— Ta mère m'a dit que je te trouverais ici, a-t-elle dit en se penchant à la fenêtre du passager. Monte.

J'ai obéi. Elle a appuyé sur l'accélérateur.

Nous avons roulé en silence pendant dix minutes jusqu'au drive-in du *Starbucks*, et nous avons commandé nos traditionnels cappuccinos à la vanille.

— Je te l'offre, a-t-elle dit.

— Pourquoi ?

— Tu as eu une semaine difficile.

— Oui, en fait, c'est toute ma vie qui est difficile.

— Tu m'as payé de l'essence en avance. Alors, je t'en dois de l'argent, vu que je ne te conduis plus au lycée.

Melissa a allumé la radio et nous avons chanté des chansons idiotes à tue-tête.

12. Billy (mais il ne m'a jamais rappelée)

C'était quatre semaines et huit séances de thérapie et demie après l'affaire de la photocopie.

— Billy, c'est ce garçon qui m'a demandé mon numéro l'été dernier et qui ne m'a jamais rappelée. Je l'ai embrassé à une fête en juillet. Tout le monde portait des toges. Vous savez, fabriquées avec des draps. Celui qui avait servi à confectionner la sienne était décoré de marguerites et de canetons. Je crois que c'était un élève du lycée Sullivan.

— Tu l'as embrassé ou il t'a embrassée ?

— Il m'a embrassée, en fait. On faisait la queue pour aller aux toilettes. C'était un couloir sombre.

— Et puis ?

— Il m'a caressé les seins à travers environ huit couches de drap bleu plissé. C'est la première fois qu'on me faisait ça, mais je ne suis pas sûre que ça compte.

— À cause des couches de drap ?

— Ouais. De toute façon, je lui ai donné mon numéro, et il n'a jamais rappelé. J'ai attendu près du téléphone comme une idiote.

— Han han.

— Maintenant, ce que je ne comprends pas, c'est pourquoi il m'a demandé mon numéro et ne m'a pas rappelée. Selon moi, la véritable difficulté consistait surtout à demander le numéro, ou à se pencher pour m'embrasser alors qu'il me connaissait à peine, et qu'il était vêtu d'un drap imprimé de petits canards jaunes. Après avoir franchi ces épreuves, il aurait dû lui sembler évident que j'étais d'accord pour le revoir. Alors pourquoi n'a-t-il pas rappelé ?

Le docteur Z n'a rien dit. Ça lui arrive très souvent.

— Ou alors, il m'a trouvée tout à coup répugnante, ou stupide ou un truc comme ça, ai-je poursuivi. Il m'a peut-être demandé mon numéro parce qu'il m'avait déjà embrassée, et qu'il se sentait *obligé*. Mais il n'avait pas à se sentir obligé ! J'aurais été ravie de sortir avec lui pendant une *toge-party* et en rester là ! Ce n'est qu'à partir du moment où il m'a dit qu'il m'appellerait que j'ai voulu qu'il m'appelle. Du coup, je me suis retrouvée à rentrer chez moi en courant pour écouter mes messages[98], et il n'y en avait pas. Tout ça était vraiment lamentable.

— Combien de temps ça a duré ?

— Deux semaines. Après, je me suis faite à l'idée qu'il ne m'appellerait jamais.

— Ruby. Je vais te dire quelque chose. Si tu penses que je me trompe, dis-le-moi et nous passerons à autre

---

98. Je suis la seule élève de Tate à ne pas posséder de téléphone portable. Je le jure. Même les élèves de CM2 en ont un.

chose. Mais le moment est venu de parler franchement. Selon moi, tu es victime de blocages en place depuis très longtemps, qui t'enferment dans une attitude passive et t'empêchent d'être heureuse.

Traduction du langage psy : je n'agis pas assez. J'attends que les autres fassent les choses à ma place. Je m'angoisse à cause des actes d'autrui, sans jamais intervenir. J'aurais pu obtenir le numéro de Billy, lors de cette soirée. J'aurais pu l'appeler. J'aurais pu faire en sorte que les choses aillent de l'avant, si je l'avais vraiment voulu. J'aurais pu me réconcilier avec Melissa en lui passant un coup de fil pour m'excuser, mais je me suis contentée de poireauter chaque matin à l'arrêt de bus en la laissant ruminer sa colère, en attendant que ce soit elle qui me plaigne et se décide à me laisser de nouveau monter dans sa voiture. J'aurais pu appeler Cricket et Nora. J'aurais pu être plus franche avec Jackson. J'aurais pu insister pour que nous regardions autre chose que ces insupportables mangas. Faire la grasse matinée le samedi matin au lieu de me lever à l'aube pour assister à des épreuves d'athlétisme. Refuser de traîner avec Matt à longueur de temps. Ne pas répondre au téléphone lorsque Jackson appelait à dix-sept heures alors qu'il m'avait promis de le faire le matin. L'inviter au bal. Lui arracher ses vêtements, si ça me faisait plaisir.

— Développez, ai-je dit au docteur Z.

— Vois-tu des points communs entre ton comportement et celui de ta mère ?

Quoi ? Ma mère était la personne la moins passive de l'univers.

— Eh ! *Elaine Oliver ! Ça va faire mal ? Exprime ta rage !* ai-je crié. Vous plaisantez ?

— Vous parlez toutes les deux avec beaucoup d'aisance, ça, c'est une certitude.

Je n'avais jamais réalisé que je ressemblais à ma mère sur ce plan. Est-ce que le docteur Z pensait vraiment ce qu'elle disait ? Est-ce que je m'exprimais avec tant d'aisance que ça ? Hmmm, Ruby Oliver, excellente oratrice.

— En quoi est-ce que vous trouvez ma mère passive ? ai-je demandé.

— À ton avis ?

Gulp. Pourquoi les psys nous laissent-ils toujours répondre aux questions alors qu'ils connaissent déjà les réponses ?

— Hum, ai-je lâché, mon talent d'oratrice soudain réduit à néant.

Silence.

J'ai mobilisé tous mes neurones. Rien.

— Ne m'as-tu pas parlé d'une histoire de taco géant ? a dit le docteur Z.

— Si.

— Et d'un régime macrobiotique ?

— Han han.

Nous sommes restées silencieuses une minute de plus.

— Ne penses-tu pas qu'il se déroule une sorte de conflit de pouvoir entre ton père et ta mère ? a-t-elle fini par demander.

— Ouais, peut-être.

— Et comment se manifeste-t-il ?

Une foule de souvenirs me sont revenus en mémoire. Ma mère usant toute une boîte de Kleenex, assise près du téléphone, en attendant vainement un appel de mon père qui se trouvait en voyage d'affaires. Ma mère passant le week-end à un festival de botanique, et s'ennuyant à mourir. Ma mère se rendant à une fête d'Halloween avec le même chapeau idiot que l'année précédente, alors qu'elle avait passé la journée entière à fabriquer un taco géant. Ma mère faisant le ménage à la maison pendant que mon père participait à une course de demi-fond avec ses copains, puis la dispute de deux heures qui a suivi au sujet de la politique éducative du maire, qui ne la préoccupait pas tant que ça. Ma mère se lançant dans un régime macrobiotique juste après que mon père eut décidé de passer tous ses week-ends à construire une serre sur le pont sud, alors qu'elle voulait faire des randonnées et passer des vacances en famille. Ma mère ne partant pas en tournée avec son dernier spectacle parce que mon père ne pouvait pas l'accompagner.

Ma mère, qui passait son temps à exprimer sa rage, mais qui ne faisait jamais ce dont elle avait envie.

Ma mère et ses milliers de petites attentions pour mon père — découper dans les journaux des articles susceptibles de l'intéresser, déposer un bouquet de fleurs sur son bureau, lui laisser des messages à chaque fois qu'elle sortait —, autant de détails qu'il ne remarquait jamais, à moins qu'elle ne les lui fasse observer.

Et elle n'a jamais cessé d'agir ainsi, ni de ressentir de la colère parce qu'elle pense qu'il ne l'aime pas autant qu'elle le mérite.

Cette analyse – tout-est-en-rapport-avec-ma-mère – était exacte mais embarrassante. Je déteste quand le docteur Z a raison, surtout quand sa théorie fait de moi un cliché : Ruby Oliver répète les névroses de sa mère. Cependant, du coup, j'ai décidé de demander des explications à Shiv Neel à propos de ce qui s'était passé l'année précédente. Je n'arrêtais pas d'y penser, depuis que j'avais raconté cette histoire en thérapie : comment nous avions flirté pendant des semaines au cours de nos répétitions pour le théâtre ; comment il avait passé son bras autour de mon cou pendant une projection ; comment nous nous étions embrassés dans la salle de classe déserte ; à quel point ses yeux étaient magnifiques ; comme c'était génial d'être sa petite amie, même si ce n'était que le temps d'un après-midi.

Et puis, comment il avait disparu de ma vie.

Shiv était populaire. Je savais que je n'avais aucune chance de le trouver seul au réfectoire ou sur l'agora. Il était toujours en compagnie d'Arielle et d'une bande de joueurs de rugby plutôt bruyants. Mais il siégeait aussi au conseil des seconde, qui est la commission où l'on élit les présidents, vice-présidents et trésoriers de classe. En clair, ça signifiait qu'il quittait le lycée plus tard le mercredi.

J'ai séché l'entraînement de lacrosse et j'ai attendu que sa réunion s'achève, en bouquinant sur un banc devant la salle de réunion. Mes mains étaient moites. J'étais extrêmement nerveuse. Mais j'ai respiré profondément et je n'ai pas eu de crise d'angoisse. Il est sorti.

— Eh, Shiv, tu as une minute ?

— Je suppose. Comment tu vas ?

— Ben, tu sais sans doute que Jackson m'a quittée.

— Han han.

— Et, hum, je… tu veux pas qu'on sorte ?

Deux membres du comité à l'air un peu intello se trouvaient tout près de nous dans le couloir.

— OK, a-t-il dit en haussant les épaules, comme s'il s'en fichait complètement.

— Quand je dis sortir, je ne veux pas dire sortir *ensemble*, ai-je précisé en réalisant qu'il avait forcément eu vent de ma réputation d'allumeuse.

Et puis, après tout, sortir ensemble, c'est précisément ce que nous avions fait la dernière fois que nous nous étions trouvés seuls tous les deux.

— Je voulais dire « aller à l'extérieur ».

— J'avais compris.

Il m'a regardée comme si j'étais une parfaite idiote. Nous sommes allés nous asseoir en haut des marches menant au bâtiment principal.

J'ai regardé mes chaussures et constaté à quel point elles étaient usées.

J'ai examiné mes ongles, puis j'ai vaguement rongé l'un d'eux.

J'ai sorti mon stylo et j'ai tambouriné avec sur mon genou.

— Ruby. J'ai pas toute la soirée.

— D'accord. Tu te souviens quand tu m'as demandé si je voulais être ta petite amie ?

— Oui. Ça ne fait pas si longtemps.

— Eh bien, ça n'est jamais arrivé.

— Han han.

— Je, heu… je me demande pourquoi tu as changé d'avis. T'inquiète, ça ne me rend pas malade. Seulement, j'essaie de comprendre les choses, depuis mon histoire avec Jackson. Je sais que ce n'était pas grand-chose, et peut-être que tu n'as pas envie de m'expliquer, mais ça me travaille, tu vois, et…

Bla bla bla. J'ai continué sur ce ton un long moment. Je me rendais ridicule. Tout ce que je disais sonnait complètement faux. Je faisais « heu » à peu près entre chaque mot.

Finalement, n'ayant plus rien à dire, je me suis tue pour le laisser répondre.

— Ruby, tu te moquais de moi, a-t-il dit, en regardant ses chaussures à son tour. Je t'ai entendue sur l'agora.

— Quoi ?

— Oui, tu étais avec Cricket et Kim. Vous disiez que j'étais nul et ça vous faisait rigoler.

— Mais c'est faux !

— J'étais là.

— Tu te trompes.

— Je t'ai entendue crier « dégoûtant ». Je sais ce que je dis. Et vous vous marriez comme des baleines, comme si j'étais un sujet de blague.

J'ai cru que j'allais m'étrangler.

— Ce n'est pas du tout ce qui s'est passé !

— Tu n'as pas dit que je sentais la noix de muscade ? a-t-il demandé d'une voix pleine d'amertume. Que tu étais dégoûtée d'embrasser un Indien, ou un truc comme ça ? Je ne pouvais plus sortir avec toi après ça. Ta simple vue m'a même été insupportable pendant des mois.

— Shiv, j'adore la noix de muscade. Ça sent très bon.

— À cause de toi, je me suis senti comme un *loser*. Le minable absolu.

Oui, c'était bien Shiv, le garçon brillant, populaire et sans défaut, qui prononçait ces mots.

— Je n'ai jamais rien dit de pareil, ai-je murmuré. En tout cas, ce n'est pas du tout ce que je pensais.

— Alors d'accord, a-t-il dit.

— Tu me plaisais. Elles me demandaient comment c'était de t'embrasser. C'est tout. Toutes les filles font ça quand elles sont ensemble. Personne n'a dit quoi que ce soit de négatif.

— Très bien.

— Le mot « dégoûtant », c'était à propos de mettre la langue dans l'oreille. Cricket m'a demandé si on l'avait fait, et je n'avais même pas entendu parler de cette pratique.

Il a laissé échapper un petit rire.

— Je crois que c'est un truc à savoir.

— Pendant tout ce temps, j'ai pensé que j'avais fait quelque chose de mal, pour que tu cesses de me parler...

— C'était le cas, a-t-il précisé.

— ... la façon dont j'embrassais, mon corps ou ma personnalité.

— C'était ta personnalité.

— Oh, ai-je soupiré en essayant de sourire. Mais tu te trompais. S'il te plaît, crois-moi. Jamais je ne dirais des choses pareilles[99].

— Très bien, d'accord.

— Tes origines indiennes n'ont rien à voir, je veux dire...

— J'ai compris, Ruby.

— Je ne sais plus où j'en suis, maintenant.

— Ouais, bon. Moi non plus. Mais je te remercie pour l'explication.

Sur ces mots, il a mis son sac sur son épaule et s'est dirigé vers le parking sans proposer de me raccompagner.

---

[99]. Quand j'y repense, c'est à la fois vrai et faux. J'ai dit tout un tas d'horreurs sur pas mal de monde. Melissa, Hutch, Katarina. Vraiment. Mais, tout au long de mes mésaventures, je n'ai jamais dit une seule chose méchante sur Kim, Cricket ou Nora, même après ce que j'avais lu sur le mur des toilettes.
Alors, suis-je une garce ou une sainte ?

13. Jackson (oui, d'accord, lui c'était mon petit copain, mais je préférerais qu'on parle d'autre chose)

Maintenant, vous savez tout sur Jackson Clarke, sans doute plus que vous ne l'auriez souhaité. Pour conclure, voilà tout ce que j'ai à ajouter :

Je pense encore à lui tous les jours.

Quand je l'aperçois, mon cœur s'emballe.

Il me manque, j'aimerais lui parler, et à chaque fois qu'il me dit « salut », je me sens encore plus mal qu'avant.

J'aimerais le voir mort.

J'aimerais qu'il m'aime encore.

Quand je suis rentrée à la maison après l'entrevue avec Shiv, j'ai trouvé Hutch en compagnie de mon père. Une fois de plus. Les mercredis et les samedis après-midi, il l'aide à construire la serre sur le pont sud. En ce moment, vu qu'il fait beau, ils sont toujours fourrés ensemble, penchés sur une pivoine ou occupés à réparer un carreau cassé, tandis que leur mini-chaîne diffuse du préhisto-rock à plein tube.

La lumière du jour commençait à décliner. Il devait être à peu près six heures.

— Salut Hutch. Salut p'pa.

Je leur ai fait un signe en avançant sur le quai. Ils examinaient la serre qui, je dois l'admettre, commençait à ressembler à quelque chose.

— Vous faites un break, les mecs ?

Je suis allée chercher trois glaces que mon père avait cachées dans le freezer afin de nous procurer clandestinement des calories et nous tirer du cauchemar macrobiotique qu'était devenue notre vie. (Ma mère était de sortie, cela va sans dire.) Puis nous nous sommes assis tous les trois sur le pont, penchés en avant pour les déguster sans nous tacher, en regardant les voiliers glisser à la surface du lac Union.

Je me sentais bien pour la première fois depuis que Jackson m'avait abandonnée.

Eh, je vous vois venir. N'allez pas vous imaginer que j'ai soudainement remarqué qu'Hutch était séduisant dans la lumière orangée de cette belle fin de journée et que je suis tombée folle amoureuse de lui. Non, ce *n'est pas* l'homme de ma vie, et non, nous *n'étions pas* destinés à finir nos jours ensemble depuis l'histoire des nounours au chocolat en CM1. Ça, c'est ce qui se produit dans les films[100]. Nous ne sommes pas non plus devenus les meilleurs amis du monde, comme dans *The*

---

100. Les films où un garçon socialement inadapté, un cas totalement désespéré, finit par séduire l'héroïne : *Demain on se marie* ; *Dumb et Dumber* ; *Quand Harry rencontre Sally* ; *Mary à tout prix* ; *La Belle et la Bête* ; *L'Amour à tout prix* ; *Les Tronches*. Et de nombreux films de Woody Allen.

Breakfast Club[101]. Je n'ai pas réalisé tout à coup qu'un cœur d'or battait sous son perfecto siglé Iron Maiden. Il n'a pas pris conscience que je n'étais pas l'allumeuse du lycée que tout le monde méprisait. Non, ça, c'est bon pour les salles obscures. Réveillez-vous. Revenez à la réalité. Hutch me fait flipper. Nous n'avons rien en commun, à part ce désagréable problème de lèpre.

— Ruby, ça fait du bien de te voir toute contente, a dit mon père. Tu n'es pas d'accord avec moi, John ? Elle a mis un peu de temps à se remettre de sa rupture avec Jackson. C'était son premier vrai petit ami, tu sais.

— Crois-moi, c'est une bonne chose que tu ne sois plus avec ce type, a marmonné Hutch, la bouche pleine de glace.

— Tu penses ça ? Moi pas.

— C'est une ordure.

— Hein ?

— C'est pas un mec bien, Ruby. Je veux dire, à l'intérieur.

— Pourquoi tu dis ça ?

Alors Hutch nous a raconté son histoire. Je ne sais pas pourquoi il a fait ça. Peut-être que le rock'n'roll avait créé entre mon père et lui un lien fort et viril. Peut-être qu'il était désolé pour moi, même si je m'étais super mal comportée avec lui depuis des années. Il a

---

101. *The Breakfast Club* : film dans lequel des élèves populaires et des lépreux se retrouvent enfermés ensemble pour purger une punition et apprennent à apprécier leurs qualités intérieures et leurs différences respectives.

dit que Jackson et lui avaient été amis lorsqu'il était en sixième. À Tate, c'est l'année où l'on commence à se déplacer de classe en classe à chaque cours au lieu de végéter toute la journée au même endroit avec un seul prof. Jackson était en cinquième, mais ils avaient cours de gym et de français ensemble, et les mêmes trous dans leur emploi du temps. Du coup, ils ont commencé à traîner ensemble. Hutch était ami avec tous les élèves cools de cinquième : Kyle, Matt, Jackson et quelques autres. Ils jouaient au foot ensemble après les cours. Ils avaient leur table attitrée au réfectoire. Ils faisaient beaucoup de bruit dans les couloirs. Jackson et Hutch étaient particulièrement proches : Hutch se rendait en vélo chez Jackson le week-end, et Jackson vivait chez Hutch des semaines entières lorsque ses parents devaient se rendre à Tokyo pour le boulot. Quand ils s'ennuyaient en classe, ils écrivaient des poèmes marrants sur leurs profs et se les déposaient dans leurs boîtes.

Très chère Mrs Long, femme fourbe et cruelle,
Je sais que mon devoir est bon pour la poubelle.
Vous pouvez, à bon droit, me renvoyer du cours,
Me traiter d'abruti, de crétin, de gros lourd,
Mais c'est perte de temps, sachez-le, car jamais
Je ne pourrai, Madame, apprendre le français.

Ce genre de truc. En tout cas, c'est celui qu'il nous a récité. Et puis l'été est venu, et Hutch est parti en voyage jusqu'en septembre avec ses parents. À la rentrée, il s'est senti complètement rejeté.

— Mon visage s'est couvert de boutons au cours de l'été, a-t-il précisé en fixant sa glace. J'étais moche à faire peur, et j'étais toujours aussi petit. Eux, ils avaient passé leurs vacances à faire du sport. La première semaine, je les ai suivis. Je m'asseyais à un bout de la table, sans participer aux conversations. Je jouais un peu au foot avec eux. Quelque chose semblait avoir changé, mais je ne savais pas quoi. Ces gars étaient censés être mes amis, vous comprenez ? Puis un jour, j'ai écrit un poème sur Mr Krell. Tu te souviens de ce prof de gym, Ruby ? Et je l'ai glissé dans la boîte de Jackson, comme nous le faisions l'année d'avant.[102]

— Oh, mon vieux, je vois le truc venir. Ce que les enfants peuvent être cruels.

— J'ai retrouvé mon poème dans ma boîte avec un truc écrit en haut, de la main de Jackson : « Tu n'es pas lassé de cette blague, pauvre nul ? »

Il s'est levé et a jeté son bâton de glace à la poubelle.

— C'est tout ce qu'il a écrit ? ai-je demandé.

---

102. Deux jours après cette conversation, j'ai demandé à Hutch de me réciter ce poème. Mr Krell était un grand blond enthousiaste avec des joues roses qui incitaient à la moquerie. Hutch s'en souvenait toujours. Le voici :

Mon très cher monsieur Krell, comme vous sentez fort !
À cocoter ainsi vous vous faites du tort.
Ce parfum bon marché qui bouscule et qui cogne,
Il ne mérite pas le nom d'eau de Cologne.
À chaque cours de gym, mon Dieu, nous suffoquons.
Pitié ! de l'air ! Je veux rentrer à la maison.
Pourquoi ne pas plutôt, tant qu'il n'est pas trop tard,
Réserver ce poison à vos soirs de rencard ?

— Ouais, c'est tout.

— Wow.

— Il ne m'a plus jamais adressé la parole. Comme si nous n'avions jamais été amis. Comme si nous ne nous étions jamais croisés. Quand Kyle et ses copains ont rempli mon casier de billes de métal, en quatrième[103], et qu'elles se sont répandues sur le sol toutes en même temps, Jackson n'est pas intervenu. Il a changé de T-shirt en me regardant, sans dire un mot, comme si rien ne s'était passé.

— Jackson ne ferait jamais une chose pareille, ai-je dit.

— C'est pourtant ce qu'il a fait. Je crois même que c'est lui qui a mis les billes.

— Je ne te crois pas.

— Je ne fais qu'exposer les faits.

— En tout cas, ce qui est sûr, c'est qu'il n'est plus comme ça.

— Tu rêves, a dit Hutch. *Dream on*.

Et puis il s'est mis à chanter :

— *Dream on ! Dream on !*

— *Dream on*[104], a repris mon père de sa ridicule voix de castrat rock'n'roll.

Hutch s'est joint à lui. Ils ont continué à couiner comme des gorets pendant quelques minutes puis ils se sont mis à hurler simultanément :

---

103. Des billes de *heavy* métal, je suppose. Ah, ah, ah.
104. *Dream on* : j'ai demandé à mon père de quoi il s'agissait. C'est une chanson d'Aerosmith qui date de l'époque où ils n'avaient pas encore de rides.

— *Dream-a make-a dream come true !*[105]

Puis ils se sont tus pour interpréter un duo de guitare imaginaire.

Sur ces preuves supplémentaires que (1) Hutch avait une tendance pénible à citer des vieilles chansons hard rock que personne ne connaissait, que (2) mon père les connaît par cœur et les adore et que (3) tous deux n'ont aucune dignité, ils se sont arrêtés. Mon père a appuyé sur le bouton lecture du vieux minicassette, et tout le quai s'est retrouvé bombardé de préhisto-rock.

Jackson était-il vraiment capable de remplir le casier de quelqu'un avec des billes métalliques ? ou de ne pas lever le petit doigt lorsque ses amis maltraitent quelqu'un ? Avait-il vraiment écrit « Tu n'es pas lassé de cette blague, pauvre nul ? » sur ce poème ? Je ne pensais pas Hutch capable d'inventer un truc pareil.

Mais ce portrait ne ressemblait pas au Jackson que je connaissais.

Peut-être avait-il commis de tels actes, mais il avait changé. En grandissant, nous en venons tous à regretter les choses méchantes que nous avons faites au collège.

Ou peut-être m'étais-je complètement trompée sur son compte ?

J'ai attrapé mon vélo et j'ai roulé jusqu'au magasin le plus proche (à dix pâtés de maisons de là). J'ai acheté deux gros bouquets de basilic, un paquet de pâtes, des noix et un sachet de parmesan. De retour à la maison, j'ai fait bouillir les pâtes et j'ai préparé une sauce pesto

---

105. En tout cas, c'est à ça que ça ressemblait.

dans le robot, avant que ma mère ne rentre et ne me dise que ce n'était pas macrobiotique.

Le jour suivant, dans la jeep, j'ai demandé à Melissa si elle voulait aller au cinéma. J'étais aussi tendue que si je lui avais proposé un rendez-vous amoureux. Il y avait un festival Woody Allen au *Variety*.

— Je peux venir avec Bick? a-t-elle demandé, en klaxonnant un crétin en 4 x 4.

— Non, je pense que c'est un truc de filles.

Je n'avais aucune intention de tenir la chandelle.

— Nous sommes censés aller chez Frank pour jouer au billard.

— Oh, tant pis.

— Mais je n'ai pas envie d'y aller. Ces types ne font que boire de la bière et ils ne me parlent jamais.

Ensuite, au guichet du *Starbucks* :

— Deux cappuccinos à la vanille, taille maxi.

Puis, se tournant vers moi :

— En fait, ça m'ennuie à mourir. En général, je passe la soirée toute seule sous le porche.

— Alors envoie-le paître.

Elle n'a rien dit pendant une minute. Elle a payé les cappuccinos, puis elle s'est glissée dans le flot de la circulation.

— Ouais. D'accord. Je le verrai vendredi.

— C'est dit ?

— C'est dit.

Je crois que nous étions devenues amies.

14. Noel (mais c'était une rumeur de plus)

Ma mère a décidé de partir en tournée avec son one woman show.[106] Le producteur a dit qu'il pouvait boucler des dates. Vu que la programmation des théâtres de Seattle était fixée jusqu'en octobre, elle pouvait présenter *Elaine Oliver : Cris et Hurlements* dans tout le pays dès la fin du mois suivant (juin). Mon père était furieux :

— Kevin, a-t-elle dit. Je dois satisfaire mon public. En plus, nous pourrons utiliser l'argent de la tournée pour partir en vacances en août.

— Tu ne peux pas abandonner Ruby.

— Oh, c'est une grande fille.

— C'est encore une gamine. Elle a besoin de sa mère.

— Eh, oh, papa, je suis là.

— Est-ce que je vais te manquer, Ruby ? a demandé ma mère.

— Bien sûr ! a répliqué mon père. Même si elle refuse de l'admettre.

---

106. Tout ce qui concerne Noel figure en fin de chapitre. Je dois aborder ces événements importants en priorité.

— Je crois que ça ira, ai-je répondu. Tu devrais y aller.

— Elle peut venir avec moi, Kevin. Après ses examens.

Il était hors de question que je passe l'été à regarder *Cris et Hurlements* tous les soirs et à vivre dans des chambres d'hôtel.

— Ça pourrait être amusant, a continué ma mère. En plus, je jouerai à San Francisco en juillet.

— Elaine.

— Kevin.

— Elaine.

— Quoi ? Ce serait très bien pour elle. Elle ne connaît rien d'autre que la colo.

— On a déjà parlé de ça, a soupiré mon père. On avait décidé que tu ne partirais pas en tournée si je ne pouvais pas t'accompagner, et si Ruby ne pouvait pas aller chez grand-mère Suzette.

Grand-mère Suzette, la mère de mon père, habite tout près de chez nous. Mais elle avait prévu une intervention de chirurgie du pied, donc je ne pouvais pas me réfugier chez elle.

— J'ai changé d'avis, a dit ma mère. Je refuse de rester ici à te regarder bricoler cette serre tous les week-ends alors que tous les *gays* du pays attendent mon nouveau spectacle. À San Francisco, ils portent même des T-shirts de moi. Des fans m'ont envoyé des photos.

— C'était il y a trois ans.

— Justement. Le moment est venu de faire mon come-back.

— Papa, ai-je chuchoté, assez fort pour que ma mère entende. Quand elle sera partie, nous pourrons manger tout ce qui nous fait envie.

— Deux mois, c'est long, a-t-il rétorqué. Il faut que je réfléchisse.

— C'est inutile, a tranché ma mère. Ricki a réservé les dates hier.

Furieux, mon père a passé le reste de la journée dans la serre, à s'exciter sur son marteau.

Je n'avais aucune envie de partir en tournée avec ma mère. Aucune. Selon moi, c'était une perte de temps. Elle allait me soûler du matin au soir, me gaver de tofu et me demander de rester en permanence à ses côtés sans jamais m'écouter. J'allais devoir assister à son spectacle tous les soirs, et laisser les directeurs de théâtre me pincer les joues en y allant de leur petit couplet sur le thème :

— Oh, Ruby ! Ta mère m'a tellement parlé de toi. Je crois encore l'entendre nous raconter tes premières règles !

Nous allions passer nos soirées dans des chambres d'hôtel, à regarder la télévision, alors que nous aurions pu glander sur le quai dans des chaises longues. Je ne pourrais pas aller nager dans le lac, faire du vélo en ville ou passer une journée sur le bateau de Melissa, comme elle me l'avait proposé. Je raterais le stage de peinture auquel je m'étais inscrite. Je manquerais même la floraison des plantes de mon père, et l'apparition des bourdons qui envahissaient la maison tous les étés.

Un après-midi, je suis sortie du bureau de Mr Wallace, où nous venions de commenter mes notes finales d'histoire-géographie. Je m'étais arrêtée dans le couloir pour ranger mes affaires dans mon sac à dos, lorsque j'ai reconnu une voix familière :

— Ruby Oliver. Ça fait un bail.

Gideon Van Deusen. En personne, avec ses chouettes sourcils en bataille. Il était de retour. Il portait un T-shirt avec un symbole de la paix, une ceinture décorée de perles et des lunettes de soleil. Ses cheveux étaient plus longs que la dernière fois que je l'avais vu. Il s'est assis sur un banc près de moi.

— Qu'est-ce que tu fais là ? ai-je demandé.

— Eh ! Pas de « Je suis ravie de te voir, Gideon » ? Pas de « Comment vas-tu, Gideon » ? Juste « Qu'est-ce que tu fais là ? » J'ai déjà vu mieux, comme accueil.

— Oh. Hum. Désolée. Je…

Comment pouvais-je être aussi nulle ?

— Je plaisante, Ruby, a-t-il dit en riant. J'ai besoin d'une lettre de recommandation de Mr Wallace pour l'université. Ils l'exigent pour le cours d'histoire avancée auquel je veux m'inscrire.

— Quand es-tu rentré ?

— La semaine dernière. Nora ne te l'a pas dit ?

J'ai baissé les yeux.

— Ah, vous êtes toujours fâchées ?

Gideon a souri.

— Je suis fâchée avec la terre entière, en fait.

— Elle m'en a un peu parlé dans un e-mail. Mais tu lui manques. Crois-moi.

— J'en doute.

— Elle ne m'a rien dit directement, a admis Gideon. Mais je vois bien qu'elle reste tout le temps à la maison, à ne rien faire. Elle fait une fixette sur son Instamatic. Elle sort les poubelles sans qu'on le lui demande. Kim et Cricket sont amoureuses, tu sais. Tout le temps fourrées avec leurs mecs.

— Ouais, je sais.

Honnêtement, je ne m'étais jamais demandé ce que Nora faisait lorsque nous sortions avec nos copains.

— Tu devrais l'appeler.

— Peut-être.

J'ai haussé les épaules.

Nous sommes restés silencieux pendant une minute. J'ai joué avec la fermeture Éclair de mon sac à dos.

— J'étais en Californie, le mois dernier, a fini par dire Gideon. Au sud de San Francisco, le long de la côte. Il y a des sources d'eau chaude, là-bas. Elle sort toute bouillonnante de la terre, et on s'y baigne à poil, hommes et femmes confondus, dans un gros nuage de vapeur.[107] Et puis je me suis mis au surf.

— Cool.

— Il faut porter une combinaison de plongée, là-bas. Il fait froid. Mais je me suis accroché et maintenant,

---

107. Je ne peux pas rapporter la minute de conversation qui a suivi avec précision. Je n'écoutais plus vraiment, parce j'étais trop occupée à visualiser Gideon nu dans une source d'eau chaude, perdu dans la vapeur.

j'arrive à me mettre debout sur la planche et à attraper des vagues qui ressemblent à quelque chose.

— Wow.

— Tu adorerais ça. Tu fais de la natation, n'est-ce pas ?

— Ouais.

— Tu serais bonne au surf. Tu as un torse puissant. Et puis je suis allé à San Francisco. Et j'ai entendu des groupes d'enfer. Tu y es déjà allée ?

— Non.

— C'est une ville géniale. Les gens les plus dingues marchent en liberté dans les rues. Des mecs déguisés en nanas. Un soir, j'ai joué dans un café, pendant une scène ouverte, tout seul avec ma guitare. J'ai été plutôt lamentable, mais au moins, je me suis lancé. J'ai chanté devant un public. Tu peux croire ça ?

— C'est génial, rock star.

— Bon, a-t-il dit en riant. Je me suis vraiment senti ridicule. Mais, eh, je ne reverrai jamais ces gens, alors qu'est-ce que ça peut faire ?

— Tu as raison.

C'était tellement contraire à la philosophie de Tommy Hazard, de se lever et de chanter faux devant une foule d'inconnus. Pourtant, d'une certaine façon, Gideon m'est apparu encore plus séduisant.

— Je n'aurais jamais fait un truc pareil quand j'étais à Tate. Quand toute ma vie se réduisait au sport, aux fêtes et aux ragots de cafétéria. Le monde de Tate, quoi.

— Ouais.

Je le connaissais par cœur.

— Sérieusement, a dit Gideon. De la nourriture chinoise comme tu n'en as jamais goûté. Et puis l'architecture. Les paysages. Avant d'aller à l'Ouest, j'ai visité le désert de l'Arizona. J'ai vu les Grands Lacs. J'ai randonné sur la piste des Appalaches.

Mr Wallace a ouvert la porte de son bureau et a passé la tête dans le couloir.

— Van Deusen ! a-t-il crié, le visage radieux. Tu es nostalgique du lycée ?

Gideon est entré dans son bureau.

J'étais en retard pour le cours suivant, mais j'ai marché sans me presser. En pensant à Gideon, nu, dans une source d'eau chaude.

Et en pensant à San Francisco.

En général, les gens ont du mal à présenter des excuses. Même mon père, malgré tous ses beaux discours sur le pardon. Il ne dit jamais « désolé ». Il prend ma mère dans ses bras et l'embrasse dans le cou.

— Kevin, je suis toujours fâchée contre toi, proteste-t-elle.

— Mmh, tu sens bon.

— Kevin !

— Personne ne sent aussi bon que toi.

Il ajoute quelques niaiseries du même ordre, puis elle dit :

— Bon. Viens voir le truc que j'ai acheté aujourd'hui. En gros.

Maman est encore pire. Elle boude et tempête dans toute la maison, en entrechoquant des pots et des casseroles. Au bout de deux heures, elle se comporte comme si rien ne s'était passé. Papa et moi sommes alors censés comprendre que la crise est terminée et que ce n'est pas la peine d'y revenir.

D'autres personnes se forcent à présenter des excuses sans la moindre sincérité. « Je te demande pardon, mais tu n'aurais pas dû... » ou « Je te demande pardon, mais je n'ai pas fait ça... ». Elles s'excusent en précisant qu'elles avaient raison de bout en bout, ce qui revient exactement à faire le contraire.

Demander pardon, ce n'est vraiment pas mon truc. Je parle trop. Je m'y prends toujours beaucoup trop tard, et je me contente de balbutier quelques excuses sans parvenir à dire ce que je pense. En général, ça finit par relancer la dispute. Bref, ça ne prend jamais le tour que je souhaiterais.

Bon, la vérité, c'est que je pense toujours que j'ai raison. C'est sans doute pour ça que c'est si difficile.

Le jeudi suivant, le docteur Z a consulté la liste et m'a interrogée à propos de Noel.

— C'était juste une rumeur, ai-je dit. Lui et moi. L'une des quarante-huit rumeurs me concernant, à cette époque.

— C'est celui qui t'a tenu la main lors de la fête ?

— Ouais. Maintenant, il s'assied de l'autre côté de l'atelier en arts plastiques. On ne se parle plus.

— Et ?

— Je ne sais pas. Je crois qu'il ne s'intéresse pas aux filles.

— Qu'est-ce qui te fait penser ça ?

— Ce type est une énigme.

— Tu n'as pas de sentiments pour lui ?

— Que j'en aie ou pas n'a aucune importance. Je lui ai dit d'aller se faire foutre. Il ne m'adressera plus jamais la parole.

Le docteur Z n'a rien répondu. Elle faisait sa tête de Madame Je-sais-tout, comme si elle s'attendait à ce que j'ajoute quelque chose. Je suis restée silencieuse.

— Pourquoi est-il sur la liste ? a-t-elle finalement demandé.

— A-t-on encore besoin de cette liste ? Je veux dire, de quoi allons nous parler quand on en aura fait le tour ?

— Ça dépend de toi.

— Je savais que vous diriez ça.

Silence.

— Alors, pourquoi est-il sur ta liste ?

La vérité, c'est que Noel me plaisait. Il était intéressant. Il était différent. Il n'appartenait plus au monde de Tate, même si ça ne faisait pas très longtemps. Quand il m'a raccompagnée après le bal et qu'il m'a tenu la main, c'était agréable. J'aimais bien discuter avec lui.

Le dimanche, après avoir assisté au cycle Woody Allen en compagnie de Melissa[108], j'ai sorti ma boîte

---

108. Nous avons vu *Tout ce que vous avez toujours voulu savoir sur le sexe sans jamais oser le demander*. Dans ce film, une gigantesque paire de seins attaque des hommes dans la campagne. À la fin, ils parviennent à la capturer à l'aide d'un soutien-gorge géant.

de feutres du tiroir de mon bureau. Je crois que je ne les avais pas utilisés depuis la cinquième. J'ai pris une feuille de papier et je l'ai pliée en deux.

« Comment je suis désolée ? » ai-je écrit avec un feutre violet.

Puis, à l'intérieur, j'ai ajouté :

1. Comme un requin qui a avalé une plaque minéralogique par erreur.

2. Comme une star de cinéma qui se fait surprendre sans maquillage.

3. Comme une femme avec une coupe de cheveux sophistiquée coincée sous une averse sans parapluie.

4. Comme un chat qui s'est roulé dans la confiture.

5. Comme un raton laveur affamé qui a mangé l'un de ses petits par mégarde.

6. Comme une ado névrosée, traumatisée par les récentes catastrophes de sa vie, qui ne sait pas reconnaître un ami quand elle en voit un, qu'il la regarde dans les yeux, la ramène chez elle et met en jeu sa réputation en s'affichant à ses côtés.

Puis j'ai fait un petit dessin de chaque personne ou animal, et je leur ai donné une expression pleine de remords. La dernière, c'était moi, dans le coin en bas, à droite.

Ça m'a pris deux heures, mais c'est plutôt réussi, même si le raton laveur et le chat étaient pratiquement identiques, et que la pluie ressemblait à tout sauf à de la pluie. Pour le peaufiner, j'ai fait l'impasse sur mon exo de bio-éducation sexuelle, mon devoir de géométrie et ma lecture d'anglais.

Le lendemain matin, j'ai glissé la feuille dans la boîte de Noel, à la fois gênée et fière de moi, toute modestie mise à part.

Je ne pensais pas le croiser avant le cours d'arts appliqués, et je n'avais aucune idée de ce que j'allais lui dire. Je me demandais si je devais poser mon chevalet près du sien. Mais à midi, je me suis retrouvée juste derrière lui dans la queue, à la cafétéria.[109] Il était en train de négocier avec l'employée du self pour la persuader de bien vouloir passer sa part de pizza quelques minutes au micro-ondes. Elle affirmait qu'elle était assez chaude, il prétendait le contraire. Il m'a à peine regardée, et je me suis retournée pour m'enfuir de la cafétéria. C'est alors qu'il a tendu le bras pour attraper ma main. Il l'a tenue en la pressant doucement pendant tout son monologue sur la différence de texture entre la mozzarella froide et la mozzarella chaude, tandis que les yeux de la femme brillaient d'une lueur meurtrière.

Ses tentatives ont échoué. Il a lâché ma main après une dernière pression affectueuse, a pris sa pizza froide et est allé s'asseoir à une table occupée par des filles de troisième que je n'avais jamais remarquées auparavant.

J'avais l'impression de marcher sur un nuage.

---

109. Je la jouais profil bas, à ce moment-là. Pas de bas résille. Pas de tenues provocantes. J'ai déjeuné avec Melissa et les terminale. La plupart de ces derniers m'ont ignorée, sauf Bick, qui s'est montré plutôt sympa. Mais j'étais toujours une lépreuse, sans discussion possible. Hutch et moi, nous nous disions bonjour dans les couloirs. Les filles de mon équipe de lacrosse étaient très courtoises et me répondaient lorsque j'avais une question à propos des devoirs à rendre, de l'entraînement ou de tout autre sujet. Mais ma vie sociale se limitait à ça.

15. Frank (mais je suis encore indécise)

Aujourd'hui, ça me fait bizarre que Frank soit sur la liste, même si nous sommes allés au cinéma ensemble et que nous avons eu une expérience physique étrangement audacieuse.

Je l'ai déjà presque oublié. Je ne suis plus du tout indécise à son sujet. Frank Cabot, c'est de l'histoire ancienne, et « Frank (mais c'était juste un essai) » ferait un titre de chapitre plus approprié.

Frank est en première. Il joue au rugby et il est plutôt mignon, dans le genre costaud. Ce n'est pas ma tasse de thé. Trop balèze. Trop viril. Deux jours après le bal de printemps, il est venu me voir à la fin d'un match de lacrosse pour m'inviter au cinéma. C'était juste après mon premier rendez-vous chez le docteur Z. Je crois qu'il avait entendu dire que j'étais une fille facile[110] grâce à la désormais célèbre conférence de Mr Wallace sur le mot *salope*. Il devait s'imaginer qu'il

---

110. Docteur Z : — Penses-tu qu'il est impossible que tu aies pu lui plaire ? Qu'il ait tout simplement eu envie d'aller au cinéma avec toi ? Moi : — Oui.

pourrait le vérifier par lui-même en me payant une place de cinéma[111].

Je me fichais de la raison pour laquelle il m'invitait.

Je ne voulais pas passer le vendredi soir seule à la maison.

Je voulais que Jackson me voie avec un autre garçon, comme ça s'était produit avec Angelo, qu'il en crève de jalousie et m'implore de tout recommencer à zéro.

J'aurais voulu avoir un nouveau copain balèze et populaire qui jouait au rugby, et me moquer que Jackson veuille ou non se remettre avec moi.

Et puis, une fois que je m'en serais bien moquée et que j'en aurais fini avec ce nouveau petit ami, j'aurais voulu que Jackson tombe de nouveau raide dingue de moi.

Ainsi, j'aurais pu l'aimer à nouveau. Nous aurions enfin pu nous marier et avoir beaucoup d'enfants[112].

J'ai accepté. Frank est venu me chercher en BMW le vendredi soir, vers dix-neuf heures. Nous avons roulé jusqu'au quartier de l'université, et nous nous sommes garés dans un parking payant.

— Je ne peux pas laisser mon bébé dans la rue, a avoué Frank en verrouillant les portières.

Nous avons marché quelques blocs, en parlant de lacrosse et de rugby.

— On joue contre Sullivan mardi, a dit Frank. Tu devrais venir voir le match.

---

111. Et il avait raison ! Gulp.
112. C'est complètement idiot, je sais.

— Ça pourrait être sympa.

— L'entraîneur est plutôt coriace. Il nous fait courir cinq kilomètres avant l'entraînement.

— Nous aussi.

— Vraiment ? Même chez les filles ?

— Vraiment.

— C'est ma première saison. C'est cool.

— Super.

Nous sommes entrés dans le cinéma. Il a payé les tickets. Je me suis chargée du pop-corn et des sodas. C'était un film d'action avec plein d'effets spéciaux. Pas du tout mon truc, mais sympa.

Au bout d'un quart d'heure, Frank a passé son bras autour de mon cou. Quelques secondes plus tard, il a descendu sa main droite le long de mon épaule et l'a posée sur mon sein ! Nous ne nous étions ni tenu la main, ni embrassés, rien du tout. Nous avions à peine discuté avant, ce soir-là, mais il est allé droit au sein comme si c'était la chose la plus naturelle du monde.

J'étais sous le choc. Je suis restée immobile et je l'ai laissé continuer.

Ce n'était pas désagréable.

Il regardait le film comme si de rien n'était, tout en tripotant mon sein d'une manière désinvolte.

Devais-je m'enfoncer dans mon fauteuil de façon à ce que sa main se retrouve au niveau de mon épaule ? ou la retenir pour qu'il ne puisse pas la laisser balader sur ma poitrine ? ou reposer fermement son bras sur sa cuisse ? ou me lever pour aller aux toilettes et espérer qu'il se comporte de façon plus raisonnable à mon retour ? ou le gifler en faisant mine d'être indignée ?

Ce n'était vraiment pas mal du tout. Il semblait savoir s'y prendre avec cette partie de mon anatomie. Mais plus je perdais de temps à réfléchir, moins il me semblait possible de formuler une objection.

Finalement, il a palpé mon sein pendant tout le film, se gavant de pop-corn de la main gauche et s'amusant avec la droite. J'ai commencé à ressentir une vague sensation de déséquilibre, parce que mon sein droit avait bénéficié d'une heure et demie d'attention tandis que le gauche ruminait sa solitude. J'ai à peine compris de quoi parlait le film, parce que j'ai pensé à ma poitrine du début à la fin. Mon sein, tripoté par un quasi-inconnu, un rugbyman balèze et viril.

Huit jours plus tôt, ils étaient la propriété exclusive de Jackson Clarke.

Étais-je vraiment une salope, comme le disait Kim ? C'était le quatrième garçon de la semaine avec qui j'avais eu un contact physique[113].

Ou alors est-ce que Frank me plaisait vraiment ? Était-ce le début d'une nouvelle histoire ?

Peut-être pas.

Mais peut-être quand même.

Le film terminé, Frank s'est étiré, a retiré sa main et s'est levé.

— Tu veux une pizza ?

— Ça marche.

---

113. Au cas où vous auriez perdu le fil : Jackson, Noel, Angelo et Frank.

Nous sommes allés dans un restau et nous avons partagé une quatre-fromages. Il m'a dit qu'il ne mangeait jamais de légumes. Il a parlé de ses « potes » de rugby. Il m'a confié qu'il voulait s'inscrire à l'université de Penn State pour devenir avocat, comme son père. Il m'a posé des questions sur ma famille, et j'ai débité mon couplet habituel. Il m'a dit que sa mère aimait beaucoup le jardinage.

Frank a tout ce qu'une fille est censée rechercher chez un garçon. Il est sportif, mignon, sympa et riche. Il est peut-être même intelligent, mais je ne peux pas me prononcer avec certitude sur ce point.

Je m'ennuyais. Nous ne parlions pas. Nous nous contentions de bavarder.

Moi, je recherche un type qui mange des légumes.

Et qui ne soit pas si désespérément normal.

Vous savez quoi ? C'était juste un biscuit.

Nous avons attendu l'addition pendant des siècles. Lorsqu'elle est enfin arrivée, j'ai insisté pour payer la moitié, même si l'achat de la robe pour le bal de printemps m'avait pratiquement mise sur la paille.

Lorsqu'il m'a raccompagnée devant chez moi, j'ai bondi comme un lièvre hors de la voiture. Vu qu'il pensait que j'étais une garce, je me demandais ce qu'il pouvait bien attendre de moi, dans la pénombre de la BMW, un vendredi soir, à une heure pareille. En particulier après cette mémorable séance de tripotage.

— C'était sympa, ai-je menti, avant de claquer la portière. Ce n'est pas la peine de m'accompagner jusqu'à la porte.

— À plus, a-t-il dit, l'air stupéfait.

Le dimanche matin, je l'ai appelé.

— Salut Frank. Je voulais te dire, hum, je ne pourrai pas aller voir ton match.

— C'est pas grave. On joue souvent. Il y a un autre match vendredi.

— Ouais, bon. Ce que je veux dire, c'est que je pense encore à Jackson.

— Oh. Pas de problème.

— Voilà. Bon, je suis désolée.

— T'inquiète pas. À la prochaine.

— À bientôt.

J'ai raccroché. Je me sentais soulagée. Si j'avais pu établir une relation exclusivement basée sur le tripotage de poitrine, j'aurais peut-être poursuivi l'expérience. J'aurais bien aimé m'asseoir dans une salle de cinéma une ou deux fois par semaine pour me laisser caresser les seins, sans me sentir obligée d'embrasser sa grosse bouche de rugbyman ou d'entretenir des discussions pénibles sur les sports d'équipe.

Mais c'était impossible. Mieux valait en finir le plus tôt possible.

C'est le lendemain que Kim a photocopié la liste et l'a diffusée dans tout le lycée. Ma vie s'est alors transformée en naufrage, à tous points de vue, comme je l'ai déjà expliqué plus tôt. Le pire, c'est quand j'ai entendu Frank dire à Billy Alexander :

— Ouais, je lui ai touché les seins. Mais je sais pas, elle est vraiment pas terrible. En fait, je suis pas intéressé. Et toi ?

— Ne me regarde pas comme ça, mec.

— Allez, tu peux tout me dire.

— Je suis sérieux, mec. Je ne suis pas le Billy de la liste.

— Ses seins sont chouettes, pourtant, non ?[114]

— Ça c'est sûr.

— Alors, tu crois que c'était Billy *Krespin* ?

— Possible. Pourquoi tu ne lui demandes pas ?

Et voilà. Vous connaissez la suite.

L'affaire Frank a eu un côté positif : j'ai réalisé qu'un autre garçon pouvait me toucher. Être caressée de cette façon, c'est plutôt intime. Avant de sortir avec Frank, je n'aurais jamais imaginé faire une chose pareille avec un autre que Jackson.

Le docteur Z et moi en avons fini avec la liste. Maintenant, nous discutons, tout simplement. Elle m'a donné un autre devoir à faire à la maison : un dessin de ma famille. En fait, j'ai réalisé un petit diorama de notre maison en trois dimensions, dans une vieille boîte à chaussures. C'était assez joli. On pouvait voir la silhouette de ma mère les bras en l'air, une représentation de mon père enlaçant une pivoine, et moi portant des bas résille.

Oui, j'ai recommencé à en porter.

Le docteur Z pense que c'est une saine expression de ma sensualité.

---

114. J'aurais aimé le voir mort. Dire à un autre garçon qu'il m'avait tripoté les seins ! Quelle grossièreté ! Mais maintenant, je pense que ce n'est pas si différent de ce que j'ai dit à mes amies à propos de Shiv et Jackson, et de ce que je sais de Kaleb, Sean et Pete.

Moi, je pense tout simplement que ça me va bien.

Je lui parle de ma vie. Je n'ai plus de crises d'angoisse, même si, parfois, le rythme de mon cœur s'accélère un peu, me forçant à respirer profondément pendant quelques minutes.

— J'ai un bon bulletin de santé, maintenant ? lui ai-je demandé.

— Qu'est-ce que tu en penses ?

Gulp. Elle me rend folle avec ce genre de questions.

— Hum, je ne sais pas.

— Tu *aimerais* avoir un bon bulletin de santé ?

J'ai poussé un soupir.

— Je ne veux pas être un cas psychiatrique jusqu'à la fin de mes jours.

— Est-ce que tu es en train de me dire que tu souhaites arrêter ta thérapie, Ruby ?

— Hum.

— Tu n'as aucune raison d'arrêter si tu n'en as pas envie. Nous pouvons continuer à nous voir aussi longtemps que tu le souhaites.

— Vous n'en avez pas marre d'entendre parler de mes problèmes ?

— Non.

— Vous avez sûrement un troupeau d'anorexiques et de maniaques sexuels vachement plus intéressants.

— Ton rôle n'est pas de me distraire, Ruby.

Exact. C'est ce qui différencie les psys des amis. Il n'est pas nécessaire de les séduire.

Alors j'ai continué.

Et je crois que j'aime ça.

L'année scolaire est terminée. Jackson et Kim sont toujours ensemble. On dirait qu'il n'a pas encore pris conscience qu'il m'aime encore. En fait, on dirait qu'il a oublié tout ce qui s'est passé entre nous. Ni l'un ni l'autre ne m'ont parlé jusqu'à la fin des cours, à part quelques « salut » de Jackson lorsqu'il ne pouvait vraiment pas faire autrement. Mon radar anti-Beth-Ann-Courtney-Heidi-Kim est resté branché jusqu'au dernier jour des examens, idiote que je suis. Les gens chuchotaient toujours dans mon dos dans les couloirs, mais on ne parlait plus de mon cas sur le mur des toilettes. Moi, j'ai gardé la tête basse. Je discutais avec Noel en cours d'arts plastiques et je déjeunais avec Melissa. Une fois, après un match de lacrosse, je suis allée manger une glace avec les filles de mon équipe. Je ne suis jamais retournée au *B&O*.

Vous pourriez penser qu'Heidi sort avec Sean, le biscuit craquant, vu qu'il l'avait emmenée au bal en remplacement de Kim. Mais ça ne s'est pas passé comme ça. Heidi sort avec Tommy Parrish, l'ex de Cricket.

Arielle et Shiv sont toujours ensemble, mais un jour, dans les vestiaires, je l'ai entendue dire qu'elle trouvait Steve Buchannon (le copain de Bick) super craquant. Cricket et Pete se sont séparés. Pete a commencé à sortir avec Katarina, mais cette dernière est sortie avec Whipper pendant une autre soirée où je n'étais pas invitée, et Pete l'a quittée. Alors maintenant, elle sort avec Frank. Et Pete sort avec Courtney. Et Sean sort avec Beth. Cricket a commencé à sortir avec Billy Alexander, dont je suis sûre qu'elle est raide dingue depuis le jour où il l'a ramenée chez elle après le match de basket. Mais il vient juste d'avoir son bac, et je ne connais pas toute l'histoire, parce que nous ne nous parlons plus.

C'est l'immuable petit monde de Tate.

Un jour, je suis tombée sur Nora dans le quartier de l'université, juste au début des vacances. Je sortais du magasin où je venais de m'acheter un maillot de bain, lorsque je l'ai entendue crier mon nom de l'autre côté de la rue. Je lui ai montré ce que je venais de m'offrir. Elle l'a trouvé super.

Nous avons parlé des marques de bronzage et rapidement conclu que les maillots qui en laissaient le moins étaient aussi les moins sexy. Elle a dit qu'ils lui écrasaient les seins ou les poussaient vers le haut. Pourquoi n'existait-il pas de maillot de bain permettant d'avoir des seins normaux ? On pourrait penser que les scientifiques et les créateurs de mode auraient trouvé une solution à ce problème. Mais non.

C'était super de la revoir. Elle m'a dit qu'elle ne faisait pas grand-chose. Elle regardait la télé. Elle traînait un peu avec Gideon. Sa mère lui avait offert un nouvel appareil photo, un vrai où il fallait effectuer tous les réglages soi-même.

Je sentais qu'elle culpabilisait d'avoir coupé les ponts avec moi pendant tout le printemps. Puis j'ai pensé à une chose que m'avait dite le docteur Z. Parfois, il faut savoir profiter pleinement d'un moment, plutôt que de se focaliser sur la première chose qui nous passe par l'esprit. J'ai réalisé que j'étais vraiment contente de retrouver Nora. Je ne voulais pas gâcher cet instant. Donc, j'ai dit :

— Eh, je crois que je suis de nouveau amoureuse de ton frère.

— Il a une petite amie. Elle écrit des poèmes.

— Je sais, ai-je menti. Mais il fait ça rien que pour me rendre jalouse.

Elle a rigolé.

— Les goûts et les couleurs…

— De toute façon, je fais une pause avec les mecs, pour le moment. Trop dangereux.

— Ouaip.

— Et puis maintenant, je peux sortir habillée comme un sac.

— Han han. Moi aussi, je crois que je préfère rester spectatrice.

— Spectatrice de quoi, des relations filles-garçons ?

— Han han, a dit Nora en se grattant la nuque. Ça a mis un tel foutoir, tu sais, toute cette histoire entre toi et Kim et Heidi et…

— Oui, je sais.

— Je crois que je ferais mieux de me concentrer sur le basket, ou sur la lecture. De toute façon, aucun garçon ne m'intéresse, en ce moment.

— Le problème, ai-je plaisanté, c'est que notre lycée est beaucoup trop petit. Rappelle-toi ce que nous avons écrit à ce sujet dans *Le Grand Livre des garçons*. Tous les mecs dignes de ce nom sont maqués depuis des siècles.

— Je ne sais pas, a-t-elle murmuré. Parfois, j'ai l'impression d'être une lépreuse.

Ces aveux m'ont autant surprise que ceux de Shiv Neel, le garçon brillant qui pensait qu'on se moquait de lui parce qu'il était indien.

Comme si même les célébrités du monde de Tate se sentaient rejetées.

Nora a dit qu'elle était en retard, a mis son sac sur son épaule et m'a fait un signe de la main. Je l'ai regardée s'éloigner et rejoindre sa voiture.

Je lui téléphonerai peut-être, plus tard, cet été, quand toute cette débâcle sera derrière nous.

Peut-être.

En juin, je suis restée dormir chez Melissa deux soirs de suite. Elle a une immense salle de bains pour elle toute seule, deux lits jumeaux et une collection rassemblant une quarantaine de flacons de parfum différents. J'ai découvert qu'elle était toujours vierge, même si elle laissait Bick lui faire des trucs super audacieux[115].

---

115. Moi : — Comment ça, *tu le laisses* ? Ce n'est pas censé être agréable pour toi ?
Elle : — Si, en théorie, mais en fait, je m'ennuie.
— Comment ça ?
— Je ne sais pas. C'est barbant. Peut-être qu'il n'est pas très doué.
— Qu'est-ce que tu ressens ?
— Ce n'est pas à se rouler par terre. Pas comme dans les bouquins de bio-éducation sexuelle. Je pense à d'autres trucs pendant qu'il me fait ça.
— À quoi bon, alors ?
— Je ne sais pas. C'est un truc qu'il faut faire. Je crois qu'il a l'impression d'être un dieu du sexe.
— Tu pourrais lui apprendre. L'aider à progresser dans ce domaine.
— Peut-être. Mais je déteste lui casser son délire de dieu du sexe. Il a l'air si fier de lui, après.

Mon père travaille toujours sur sa serre. Elle commence à prendre tournure.

Vous savez ce qui occupe mon esprit, en ce moment ? Jackson. Pathétique, mais véridique. Les grenouilles en céramique sont toujours sur ma commode, à côté d'une photographie de nous deux, main dans la main, sur le pont de la maison. Maintenant, je pense que ce n'est sans doute pas un mec bien. Je me suis trompée sur son compte. Certains jours, il m'arrive même d'être en colère contre lui. Pour les cadeaux minables, pour les coups de téléphone manqués, pour les dessins animés débiles. Et pour Kim. Mais ça me prend par crises, de temps à autre. Le reste du temps, je pense à nos tests de sucettes, à notre séance de baisers lorsque j'avais gardé ma tenue de chaton, et j'ai l'impression d'avoir perdu quelque chose.

Je craquerais sans doute s'il venait frapper à ma porte, comme dans les films.

C'est Jackson Clarke.

C'est comme ça, je n'y peux rien.

Je pense à Cricket et à Nora. À nos parties de rigolade. Au plaisir que j'avais à les retrouver à la cafétéria, chaque matin, assises à une table, buvant du Coca light (Nora) et du thé (Cricket). On s'amusait bien (Kim était toujours en retard.) C'était le meilleur moment de la journée, de la plupart de mes journées, et ça n'arrivera plus jamais.

Et bien sûr, je pense à Kim. C'est si bizarre d'avoir été sa meilleure amie et que ce soit terminé. J'ai un tiroir plein de photos d'elle. La vieille veste rouge qu'elle m'a offerte pour mon anniversaire est toujours dans ma penderie, et le livre sur Salvador Dali que je lui ai emprunté est posé sur mon bureau. *Le Grand Livre des garçons*, ce grand cahier tout usé recouvert de nos écritures, n'a jamais quitté mon étagère. J'ai même pensé à le photocopier et à lui en envoyer un exemplaire. Comme un reproche. Ou un souvenir de notre amitié, peut-être. Je ne sais plus très bien.

Mais je me suis abstenue.

Chaque fois qu'il m'arrive quelque chose qui mérite d'être commenté, je décroche mon téléphone pour l'appeler, comme par réflexe. Et puis je réalise mon erreur et je raccroche avant d'avoir composé son numéro. Parfois, je me rabats sur Melissa, mais la plupart du temps, je n'appelle personne. Le docteur Z m'a dit que je dois passer par un « processus de deuil », et que c'est parfaitement normal.

Je lui ai dit que les expressions comme « processus de deuil » me faisaient bien rigoler.

Elle a éclaté de rire et dit qu'il s'agissait toujours d'un processus et d'un deuil, quel que soit le nom que je lui donne.

J'ai décrété que nous l'appellerions Reginald. Désormais, quand je me sens seule et abandonnée, je dis : « Je suis en plein Reginald, en ce moment. »

Je pense aussi à Angelo, ce qui est extrêmement tordu puisqu'il n'a sans doute plus l'intention de me parler (un intarissable sujet de thérapie). Nous sommes retournés dîner chez Juana en mai, mais il n'était pas là. Il vit dans un autre monde, à des années-lumière de celui de Tate, et je me demande parfois à quoi il peut bien ressembler. Et pourquoi il m'a invitée au bal de son lycée. Et pourquoi il est venu à ma fête avec ce bouquet. Et ce qu'il pense de cette maison qui grouille de chiens. Et ce qu'il fait après les cours. Et s'il pense déjà à l'université. Et à quoi il ressemble torse nu.

Je pense aux livres, tout le temps. J'ai écumé le rayon polars de la bibliothèque publique dès la fin des cours, puis j'ai lu quelques classiques anglais sur lesquels j'avais fait l'impasse au cours de l'année. Je regarde trop de films. Je crois que j'ai vu tous les Woody Allen, maintenant.

Je pense à trouver un petit boulot. J'en ai fini avec le baby-sitting. Je déteste ça. Peut-être pourrais-je me rendre utile au zoo de Woodland Park pour quelques dollars par jour ? ou à la bibliothèque ?

Je pense à passer mon permis. Je n'ai pas de voiture, mais je pourrais peut-être emprunter la Honda pendant les week-ends. En août, je fêterai mon seizième anniversaire.

Je pense au jour où j'aurai dix-sept ans. J'organiserai la fête dont j'ai toujours rêvé. Mes amies resteront toutes dormir à la maison. On fera les folles et on se gavera de gâteaux.

Je crois que je pense beaucoup trop.

Début juillet, j'ai pris l'avion pour la première fois de ma vie pour rejoindre ma mère à San Francisco, où elle présentait son nouveau spectacle. C'est vrai, je ne voulais pas y aller. J'ai même dit que je préférais mourir plutôt que de passer l'été avec elle. Mon père, lui, a fait un cinéma pas possible. Il a dit qu'elle n'était qu'une égoïste et que ce n'était pas ce dont ils étaient convenus lors de leur mariage. Mais elle est partie quand même, et j'ai réalisé que j'avais envie de l'accompagner. Je voulais voir des hommes déguisés en fille et d'autres délires californiens. Respirer un air différent. Je l'ai appelée lorsqu'elle se trouvait à Los Angeles et je lui ai demandé si je pouvais la rejoindre à San Francisco. C'était bizarre. Je n'aurais jamais imaginé être si contente de la voir, lorsqu'elle est venue me chercher à l'aéroport. Après, nous irons à Chicago puis à Minneapolis.

Ne vous méprenez pas. Elaine Oliver me rend toujours complètement cinglée. Je dois partager sa chambre d'hôtel. En temps normal, elle est déjà incroyablement vaniteuse, mais là, avec un public qui l'applaudit chaque soir, elle est devenue pratiquement incontrôlable. Heureusement, elle a laissé tomber son régime macrobiotique et m'a emmenée déjeuner dans cinq restaurants chinois en une semaine. Le quartier de Chinatown est stupéfiant. On a vraiment l'impression de se trouver dans un autre pays.

Lorsqu'elle est sur scène, je reste à l'hôtel et j'écris sur son ordinateur portable. C'est ce que vous êtes en train de lire en ce moment. Ou alors, je gribouille avec mes feutres. Ou je lis des romans. Puis je m'endors. Lorsqu'elle rentre, elle appelle mon père et gémit dans le téléphone qu'il lui manque atrocement. Et forcément, elle me réveille. On discute un peu pendant qu'elle se démaquille.

Pendant la journée, on joue les touristes. J'ai vu le pont du Golden Gate, pris le tramway et visité la prison d'Alcatraz. On s'est promenées dans le quartier *gay*, où un type a demandé un autographe à ma mère.

Lundi dernier, le jour où les théâtres font relâche, on a loué une voiture pour aller se balader sur la côte, au sud. J'ai conduit une bonne partie du chemin. Après la huitième remarque de ma mère sur la vitesse excessive à laquelle je changeais de file alors que je ne quittais pas le compteur des yeux, je lui ai demandé de la fermer au moins un quart d'heure et de constater simplement que nous restions en vie. Et elle a obéi.

On s'est arrêtées pour pique-niquer sur la plage. Il faisait froid, et notre salade de pommes de terre était pleine de sable, mais on est restées quand même. Il y avait des surfeurs. Dans leurs combinaisons de plongée, ils ressemblaient à des otaries. Ils glissaient vers la plage sur de hautes vagues écumantes. On les a regardés pendant une heure.

Tommy Hazard aurait adoré ça.

J'ai adoré ça.

J'étais à des années-lumière du monde de Tate, immobile, au bord de l'océan.

À propos de l'auteur

Née à New York, E. Lockhart a grandi à Cambridge et Seattle, puis elle a étudié l'anglais à Vassar et obtenu un doctorat de littérature anglaise du XIXe siècle à l'université de Columbia.

E. Lockhart a eu neuf petits amis officiels, en comptant celui qui l'a invitée pour le bal de fin de cinquième et ne lui a plus jamais adressé la parole. Elle garde au fond d'un tiroir une liste de tous les garçons avec qui elle est sortie. Elle n'a jamais fait partie d'une équipe de sport et s'est même fait dispenser de gym parce qu'elle suivait des cours de danse.

Elle a un tatouage, se coupe les cheveux toute seule et porte le même parfum depuis le lycée.

Dans son bureau, il y a deux poupées Betty et Veronica, la photo d'un bouledogue obèse, une authentique carte de visite du jeu « Sherlock Holmes, détective-conseil », et la robe des années vingt qu'elle portait lors de son bal de promotion.

Pour en savoir plus,
vous pouvez aller consulter son site
(en anglais)

www.theboyfriendlist.com